U0139671

黑塞精选集

Hermann Hesse
1877–1962

[德国] 赫尔曼·黑塞 著

Hermann Hesse

王滨滨 译

荒原狼

Der
Steppenwolf

译林出版社

图书在版编目（CIP）数据

荒原狼 ／（德）赫尔曼·黑塞著；王滨滨译.—南
京：译林出版社，2022.8（2022.10重印）
（黑塞精选集）
ISBN 978-7-5447-9155-7

Ⅰ.①荒… Ⅱ.①赫…②王… Ⅲ.①长篇小说－德
国－现代 Ⅳ.①I516.45

中国版本图书馆CIP数据核字（2022）第068249号

荒原狼 ［德国］赫尔曼·黑塞／著 王滨滨／译

责任编辑 冯一兵
装帧设计 廖 韡
校 对 陈 锐
责任印制 董 虎

出版发行 译林出版社
地 址 南京市湖南路1号A楼
邮 箱 yilin@yilin.com
网 址 www.yilin.com
市场热线 025-86633278
排 版 南京展望文化发展有限公司
印 刷 苏州市越洋印刷有限公司
开 本 787毫米×1092毫米 1/32
印 张 9.125
插 页 10
版 次 2022年8月第1版
印 次 2022年10月第2次印刷
书 号 ISBN 978-7-5447-9155-7
定 价 48.00元

扫码收听音频讲解
（可供三个微信号扫码免费收听）

　　讲解人：李双志，德国柏林自由大学文学博士，2014—2016年在德国哥廷根大学从事博士后研究，2017年起任教于复旦大学德语系。长期从事现当代德语文学与美学思想研究，也热衷于翻译德语文学和学术著作。出版研究专著三部，译著有《荒原狼》、《风景中的少年》、《浪漫派的将来之神》、《德意志悲苦剧的起源》(合译)、《比利时的哀愁》、《现代诗歌的结构》等。

遥望波雷萨，1926

科尔蒂瓦洛，1927

切特纳戈，1927

眺望卡罗纳，1927

黑 塞 自 述 [1]

1877年7月2日，我出生在黑森林地区的卡尔夫。我的父亲是波罗的海日耳曼人，来自爱沙尼亚；我的母亲方面，她的父母是施瓦本人和法裔瑞士人。我的祖父是一位医生，外祖父是一位传教士和印度学家。我的父亲也曾在印度短暂做过传教士，母亲年轻时在印度生活过几年，并且在那里传过教。

我的童年是在卡尔夫度过的，后来我搬到巴塞尔住了几年（1880—1886）。我的家人国籍各不相同，我就在两个不同民族间成长起来，生活在两个方言各异的国家里。

我在符腾堡的寄宿学校度过了大半的学生时代，还在毛尔布伦修道院的神学院学习过一段时间。我的成绩不

---

1 本文作于黑塞获诺贝尔文学奖之时，收入霍斯特·弗伦茨所编《诺贝尔奖演讲录：文学奖，1901—1967》(阿姆斯特丹爱思唯尔出版公司，1969)。

错，拉丁语很好，只不过希腊语普普通通；但我是个不太服从管教的孩子，很难适应虔敬派的教育体制——这种教育的目标是压制与摧毁人的个性。从十二岁起，我就想成为诗人；对于成为诗人来说，并没有什么常规的或者是官方的路径，所以为了决定离开学校后该做什么，我很是苦恼过一些时候。后来，我离开神学院和文理中学，跟随一位工匠做学徒；十九岁时，辗转工作于图宾根和巴塞尔的多家书店与古董店。1899 年，我的一小卷诗集付梓，随后又有其他几部篇幅不大的作品问世，但都默默无闻。直至 1904 年，我在巴塞尔写就、以瑞士为背景的小说《彼得·卡门青》大获成功。我放弃了售书的工作，娶了一名巴塞尔女子，养育了几个儿子，并搬到了乡间。彼时，远离城市与文明的乡村生活就是我的目标。从此，我一直生活在乡村，先是在盖恩霍芬的康斯坦茨湖畔居住到 1912 年，后来搬到伯尔尼附近，最终在离卢加诺不远的蒙塔尼奥拉定居下来，至今还住在这里。

1912 年，我定居瑞士，不久第一次世界大战爆发，年复一年，让我愈加抵触德国的民族主义；自从我对群众性的建议和暴力进行了悄声抗议后，我就持续受到来自德国的攻讦，谩骂的信件也如洪水般涌来。德国官方的恨意在希特勒时期达到了顶峰，不过都被这些所抵消：年轻一代追随我，他们以国际性与和平主义的思维进行思考；我与罗曼·罗兰结下了友谊，这份友谊持续到他离世；远在印度、日本等国家，也有人与我有同样想法，并表达支持。希特勒垮台之后，我在德国重获认同，但由于受到纳粹的压制和战争的破坏，我的作品还没有得到再版。

1923 年，我放弃了德国国籍，成为一名瑞士公民。第一次婚姻结束后，我独自生活了多年，后来再婚。诚挚的朋友们在蒙塔尼奥拉为我准备了一栋房子。

在 1914 年以前，我热爱旅行；我经常前往意大利，还曾在印度生活过几个月。此后，我几乎完全放弃了旅行，有十多年没有出过瑞士。

希特勒统治时期以及第二次世界大战爆发后，我花费了十一年的时间来创作两卷本小说《玻璃球游戏》(1943)。完成这部长篇作品后，由于眼疾发作，加上年老带来的其他各种疾病，我无法再从事更大篇幅的创作。

在西方哲学家中，对我影响最大的是柏拉图、斯宾诺莎、叔本华、尼采，以及历史学家雅各布·布克哈特。但他们对我的影响都没有印度哲学和稍后的中国哲学那样大。我对美术相当熟稔，也很喜欢，但与音乐的关系更为亲密，受到的启发也更多。从我多数的作品中，都可以看到这一点。在我看来，我自己特点最为鲜明的作品是诗歌（诗集，苏黎世，1942)，小说则包括《克诺尔普》(1915)、《德米安》(1919)、《悉达多》(1922)、《荒原狼》(1927)、《纳尔奇思与歌尔得蒙》(1930)、《东方之旅》(1932)、《玻璃球游戏》(1943)。《回想录》(1937，1962年增订版）涵括了诸多自传性内容。我的政治随笔集最近在苏黎世出版，书名是《战争与和平》(1946)。

先生们，希望我这极为简略的概述能令你们满意，我的健康状况已不允许我更为详尽地进行下去了。

（韩继坤 译）

目　录

编者前言

此书含有那个男子留给我们的笔记，我们称该男子为"荒原狼"，这是他自己多次使用的称谓。他的手稿是否需要导读性的前言暂且不论，不管怎样，我觉得有必要给"荒原狼"的书稿附上几页以记下我对他的回忆。我对他知之甚少，特别是他的全部往事与身世我不清楚。可即便如此，我不得不说，他的个性给我留下了强烈的、很好的印象。

"荒原狼"是个五十岁左右的男子，几年前的某一天他来我婶婶家寻找带家具的房子。他租下了上面复折式屋顶阁楼和隔壁的小卧室，几天后又带着两只箱子和一大箱子书来了，在我们这儿住了九、十个月。他人很安静，离群索居的。我们的卧室紧挨着，所以我们在楼梯和走廊里会偶然碰面，如果不是这样，也许我们彼此根本不会相识，因为这个男子不合群，不合群的程度我至今在别人那儿没见过。他时而自称"荒原狼"，一点不错，他真的是一匹荒原狼，一个陌生的、野性的，也是胆怯的，甚至很胆怯的生物，来自一个与我完全不同的世界。他的天性和命运使他的生活深陷怎样的孤独，他是如何有意识地把这种孤独看作他的天命，我自然是从他留在这里的笔记中才获悉的。可我之前毕竟与他偶遇并相叙过，多少了解了一些他，就对他的印象而言，我发现从笔记中得到的与通过亲自接触得到的基本吻合，后一种印象自然苍白些，没那么完整。

荒原狼第一次来我婶婶家租房时我恰好在。他是中午来的，菜碟还在桌子上呢，上班前我还有半个小时的休息时间。初次见面他给我留下的印象很奇特，矛盾重重，我无法忘记。他先拉了门铃铛，然后穿过玻璃门而入，婶婶在幽暗的走廊里问他有什么事儿。可他，荒原狼，用灵敏的鼻子四下闻闻，边嗅边把他轮廓鲜明、剪着短发的脑袋向上伸，既不应答也不报姓名，只是说道："噢，这里味道好。"说时还笑笑，我那好婶婶报以微笑，可我觉得这种问候语很滑稽，便对他有点反感。

"是这么回事儿，"他说，"我来看看您要出租的房间。"

我们三人上了通向阁楼的楼梯，这时我才能更仔细地端详他。他个子不太高，可走路姿势与头的姿态是高个子人才有的。他穿着一件时尚、舒适的冬季大衣。总之他穿着得体，但不精致。脸刮得光洁，头发很短，有的地方闪出些许灰白发。一开始他走路的姿势我一点都不喜欢，走起路来有点费劲，不果断有力，这与他敏锐且易怒的鲜明个性不符，也与他说话的腔调与禀性不符。后来我才发现并了解到他患有疾病，所以走路费劲。他笑起来很特别，当时这笑声同样让我不舒服。他面带微笑看看楼梯、墙壁、窗子和楼梯间的古旧高柜，看上去这一切都让他喜欢，可同时又让他觉得多少有点可笑。总的来说他整个人给人的印象是宛若来自一个陌生的世界，比如从海外来到我们这儿，觉得这里的一切虽然很漂亮，但有点可笑。我只能说他为人和气、友善，他也马上对所有的一切，诸如房子、房间、租金和早点都表示满意，没意见，然而我总觉得他整个人笼罩在一种陌生、不友好，或是敌对的氛围中。他要租下房间，连同卧室一道。他还了解了暖气、水、服务的情况及住房管理条例，认真、客气地听着一切，对一切都满意，并马上提出预付房租，可尽管如此，他人好像根本没在这儿似的，好像他自己都觉得他的行为可笑，没把自己的话当真，似乎租房及和别人说德语对他来说少见、新鲜，而他原本心里想着其他事儿。我的印象大致如此，如果不是各种小细节打乱并纠正了我的印象，它便不会好到哪儿去。首先是这个男子的脸我从一开始就喜欢，尽管表情陌生我也喜欢。这张脸也许有点独特也有点忧伤，可警觉、睿智，揉捏过，有绝尘之风雅。再加上他客气，友善，好让我进一步妥协，虽然看上去他这么做挺费劲，但行为方式一点不傲慢，而是相反，态度里有着近乎令人感动的东西，像是在祈求，我后来才知道这是为什么，但这马上让我对他多了点好感。

还没等看完两个房间并谈妥其他事项，我午休的时间就结束了，我得回办公室。我告别后把他丢给婶婶。晚上回来时，她告诉我陌生人已经租下了房间，这几天就搬进来，他只请求别向警方报告他的到来，因为他是个病恹恹的人，无法忍受这些手续和在警察办公室站等候之类的事儿。我还清楚地记得这一点当时让我生疑，我告诫婶婶不要理会他这个条件。这种对警方的惧怕恰恰与这男子身上的不信任感及陌生感很相称，不能不让人起疑。我告诉婶婶，对一个十分陌生的人提出的这种总归有点奇怪的要求无论如何不能同意，否则可能会给她带来相当麻烦的后果。可事实上婶婶已答应满足他的愿望，她完全被这个陌生男子俘虏并迷惑了，因为她总是与接纳的房客建立一种通情达理、友好的关系，她像婶婶，更像母亲，这一点也被以前的房客充分利用。最初几周也确实如此，我也一直在新房客身上挑毛病，而婶婶每次都很热心地袒护他。

因为不去警察那儿报到我不喜欢，所以我至少想从婶婶那儿了解一下这个陌生人、其来历及打算干些什么。我中午走后他待的时间很短，即便如此婶婶对他的情况已知一二。他告诉她他打算在我们城市待上几个月，泡图书馆，寻访城市古迹。对婶婶来说租期这么短本来是不合适的，但显然他已博得她的喜欢，虽然他的举止有些古怪。简言之，房间已出租，我不同意也为时已晚。

"他为什么说这里味道好闻呢？"我问。

婶婶有时能神机妙算，她说："我知道得非常清楚。我们这里有整洁有序、惬意和体面生活的味道，这点他喜欢。他看上去好像对此已不习惯，早已不过这样的生活了。"

那好吧，我想，我没意见。"但是，"我说，"如果他不习惯这种干净体面的生活会怎么样呢？如果他不整洁，把一切弄得脏兮兮的，或夜里随时醉醺醺地回来，那你怎么办呢？"

"到时再说吧。"她说时微微一笑，我只好随她去。

实际上我的担心是多余的，房客虽然过的绝不是井井有条、像样的生活，可他既没干扰也没损害我们，我们今天还喜欢忆起他。可内心里，在精神上，这个男子还是严重干扰、烦扰了我们俩——婶婶和我，坦诚地说，我和他还远远没了断。有时夜里我梦到他，觉得被他，只是被这样一个人的存在彻底干扰了，变得神魂不定，虽然我很喜欢他。

过了两天，车夫把名叫哈里·哈勒尔这个陌生人的东西送了过来。一只很漂亮的皮箱给了我好印象，一只浅色的大旅行箱像是在表明以前作过很远的旅行，至少箱子上贴着退了色的宾馆和运输公司的标签，是不同州的，也有外国的。

之后他自己来了，于是我开始逐渐认识了这个特别的男子。一开始我并没为认识他而做什么。虽然刚看到哈勒尔时我就对他感兴趣，可最初几周我没为碰到他或与他交谈而采取任何行动。当然我得承认，从一开始我就稍微观察了这个男子，有时趁他不在也到过他的房间，完全出于好奇搞了点"刺探"活动。

荒原狼的外表我已作过一些描述。他给人第一眼的印象是这个人很重要、不多见，是个奇才，他的容貌充满智慧，眉宇间透着柔弱与机灵，反映出他精神生活有趣，他的思维异常活跃，他的性格极为细腻且敏感。如与他交谈时他能打破常规，克服陌生感，道出自己的心声（并非总这样），那么我们这种人只能立马甘拜下风。他比别人想得多，思想上有着近乎冷静、实事求是的精神，自信熟虑、洞悉事物，这些特点只有那些真正的睿智之人才具有，这些人从来不心高气傲，从来不想着显出绚烂夺目或说服别人或自以为是。

我想起他说的这样"一句格言"，是在我家住的最后阶段时说的，可它根本不是什么格言，而只是用眼神表露出来的。当时有则通知说一个著名的历史哲学家和文化批评家，一个享誉欧洲的人在礼堂作报告，荒原狼最初对此没兴趣，我最终说服了他去听听。我们一起去了，挨着坐在礼堂里。当报告人登上讲台开始演讲时，他有点考究的穿着和虚荣的举止令一些听众失望，他们原以为他是某个先知呢。他开始发言，先对听众说些恭维话，对众人出席表示感谢，这时荒原狼向我瞥了一眼，眼神是对这番话以及发言者整个人的批评，这眼神令人难以忘却，它太可怕了，对其意义都可以写一本书了！眼神不仅仅批评了那个发言者，它包含的虽温和但极具说服力的讽刺灭了著名男子的气势，这是至少的。这眼神与其说是讽刺不如说是悲伤，甚至是极度、无望的悲伤。这眼神的含义是绝望，绝望是无声的，在某种程度上确凿无误，在某种程度上已相沿成习，成为形式。他眼光明亮无比，不仅看穿了虚荣的发言者这个人，还讽刺并终结了瞬间的局面、听众的期待与情绪、通告上有些狂妄的报告题目，不，荒原狼的眼光穿透了我们整个时代、全部起劲的空忙、全部的追名逐利、全部的虚荣心、所有自负且肤浅的思想，还有这思想所玩的全部表面的游戏，啊呀，可怕的是这眼光看得还要深远，它看到的远远不只是我们的时代、我们的思想、我们文化的弊端与无望。它直指所有人的心脏，它瞬间意味深长地道出了一个思想家、一个也许是有识之士的全部疑虑，对尊严、对整个人类生活意义的疑虑。这眼神的意思是："瞧，我们就是这样的笨蛋！瞧，人就是这样！"所有的名望，所有的智慧，所有的思想成果，人性中追求崇高、伟大与恒久的尝试都崩溃了，成为小丑戏。

如此一来我把话大大地提前说了，基本上把哈勒尔身上重要的地方都说出来了，这原本有违我的计划和意愿，我本想在讲述我一步步和他认识的过程中逐渐揭示他的形象。

我把话提前说了这么多，再继续谈哈勒尔谜一般的"陌生感"已属多余，也不必详细报告我是如何逐渐了解、认识这种"陌生感"的成因与意义，这种极端与可怕的孤独的成因与意义的了。这样更好，因为我想尽可能地不让我本人露面。我不想陈述我的自白，也不想讲小说或搞心理学，而只是想作为目击者来说说这个奇特男子的形象，这个留下"荒原狼手稿"的男子。

当他经我婶婶家的玻璃门走进来，头像鸟似的伸着，称赞房子味道好闻时，第一眼看到他我就多少注意到了这个男人身上的独到之处，我对此第一个本能的反应是反感。我感到（我婶婶和我相反，绝不是一个有才智的人，她的感受和我差不多一样），我感到这个男子有病，在某种程度上患精神疾病或忧郁症，或者性格有缺陷，我以健康人的本能对此有牴触。随着时间的推移，这种牴触被好感取代，怀着对这个长期饱受折磨的人的极大同情，我亲眼看见了他的孤独与心如死灰的状态。在这段时间里，我越来越意识到这个受苦之人的病态并非由于天生有什么缺陷，而是相反，只因天赋甚高，力量极为充盈，却没达到和谐。我认识到哈勒尔是受苦的天才，他在心底培育了一些尼采箴言意义上的受苦能力，这种能力是天才的、无尽的、可怕的。同时我也认识到，他的悲观主义不是基于藐视世界，而是基于藐视自己，因为他虽然能毫不留情地对机构或人进行毁灭性的评论，但从来没把自己剔除在外，他矛头对准的第一人总是他自己，他仇恨与否定的第一人是他自己……

在此我得做点心理上的说明。虽然我对荒原狼的生活知之甚少，但完全有理由猜测出其父母与老师虽很慈爱，但很严厉也很虔诚，他接受的教育所秉承的理念是"摧毁意志"，这是教育的基础。然而这种对个性的毁灭以及对意志的摧毁在这个学生身上行不通，他太强大，太强硬，太自视甚高，太聪颖。没摧毁他的个性，只是教会了他仇视自我。他一生把幻想的全部天赋，思维能力的全部强项都用来针对自己，针对这个无辜而高贵的对象。不管怎么说，他在这点上是地地道道的基督徒，地地道道的殉道者，以致他把任何的尖酸刻薄，任何的批评，任何的狠毒，任何能产生的仇恨主要、首先宣泄在自己身上。至于其他人，至于周围的世界，他始终进行着最英勇、最认真的尝试来爱他们，正确地待他们，不伤害他们，因为"仁爱"就像自恨一样深深地铭刻于他心中。就这样他整个人生都表明，不自爱也就不可能有他爱，自我仇视同样，最终像极端的自私自利一样孕育出这种极度的孤寂与绝望。

可现在该把我的想法放到一边来说说实际的事了。我了解到的有关哈勒尔先生的第一件事就是他的生活方式——部分是通过我的打探，部分是通过姊妹的评说。不久就能看到他是个爱思考、喜读书的人，没有实际职业。他总在床上躺很久，常常近中午才起床，穿着睡衣从卧室走几步到起居室。这间起居室是个复折式屋顶阁楼，很大很宜人，有两扇窗子，没过几天看上去就和别的房客住时两样了。房间里堆满东西，随着时间的推移东西越堆越多。墙上挂着画儿，贴着素描，有时是从杂志上剪下的图片，常更换。还挂着一幅南方风景画，还有一些某座德国小城的照片，小城显然是哈勒尔的故乡。墙上挂着的还有闪闪发亮的水彩画，后来我们才得知是他自己的画作。还有一张一位漂亮年轻女士或年轻姑娘的照片。有段时间墙上挂着暹罗的佛像，又换上米开朗琪罗的《夜》的复制品，继而又换上莫罕达斯·甘地的肖像。书不仅摆满了大书柜，而且还到处乱放——桌上、漂亮的旧式写字台上、长沙发上、椅子上和地上，书里夹着不断更换的书签。书不断增多，因为他不仅带来整捆的藏书，而且还常常接到寄书过来的包裹。住在这里的男子可能是个学者，笼罩一切的烟雾以及四下乱丢的烟头和烟灰缸也与这个身份相称。可大部分书籍不是学术内容，大多是各时期、各民族作家们的作品。有一阵子他常整日躺的长沙发上放着厚厚的六卷书，是 18 世纪末的，书名是《索芬从梅梅尔到萨克森之行》[1]。歌德和让·保尔的全集好像看得很多，诺瓦利斯的也同样，还有莱辛的、雅科比[2]的和利希腾贝格[3]的。几卷陀思妥耶夫斯基的作品插满了字条。众多书刊之间是张大一些的桌子，上面常摆放一束花，那里也有只颜料盒闲放着，总是蒙满灰尘，旁边是烟灰缸，也不必隐瞒，还有各种饮料瓶。一只用稻草缠绕的瓶子很可能装的是意大利红葡萄酒，是他在附近一家小店里买的，有时也能看到一瓶勃艮第葡萄酒或者玛拉加葡萄酒，我看到一只装樱桃烧酒的粗瓶很快就要空了，可后来瓶放到屋墙角蒙灰，剩的酒没再减少。我不想为我的打探行为辩解，也坦承他所

---

1 德国作家约翰·提莫西亚斯·赫尔梅斯（1738—1821）的作品。

2 雅科比（1743—1819），德国唯心主义哲学家。

3 利希腾贝格（1742—1799），德国的启蒙学者、思想家、讽刺作家、政论家。

有这些生活的迹象最初引起了我的厌恶与不信任感。这种生活虽然充满雅趣，但毕竟是虚度放荡。我不仅是个生活有规律的普通人，习惯了工作与准确的时间分配，而且我还是个烟酒不沾的人，比起哈勒尔房间里特有的凌乱不堪，那些瓶子更加让我不喜欢。

像睡觉与工作一样，陌生人的饮食也是无规律的、随性的。一些日子他根本不出来，除了清晨喝咖啡什么也不吃，有时婶婶发现他的剩饭只是一个香蕉皮放在那儿；可另外一些日子他在餐馆用餐，时而在优雅的餐馆，时而在郊区的小酒馆。他的健康状况看上去不好，上楼常常很费劲，除了腿不方便外，好像他也受其他健康问题的困扰，有一次他随口说他好多年都消化不良，睡眠也不好。我认为这首先是喝酒所致。后来我有时陪他去他常光顾的酒馆，目睹了他迅速而随性地灌酒，但不管是我还是其他什么人从来没见他真醉过。

我永远不会忘记我们第一次较亲密的接触。我们彼此就像出租房的房客邻居一样只是点头之交。一天晚上我下班回家，惊奇地发现哈勒尔先生坐在二三楼之间的楼梯平台上。他坐到楼梯最高台阶上，挪到一边让我过去。我问他是不是不舒服，提出陪他上楼回房。

哈勒尔看着我，我发现我把他从一种梦幻状态中唤醒了。他开始慢慢露出笑容，这笑容可爱、悲恸，常令我心情沉重。然后他请我坐到他身边。我表示谢意，说我不习惯坐在别人家门前的楼梯上。

"是这样呀，"他说，笑得厉害了，"您做得对。可您等一下，我还得给您看点东西，告诉您我为什么得在这里坐一会儿。"

他说着指指二楼一寡妇门前的空地。这个窄小过道位于楼梯、窗子和玻璃门之间，铺着镶木地板，一个贵重硬木高柜依过道墙而立，上面摆放着旧锡器制品，柜前地上有两大盆植物，放在两个矮小的花架上，一棵是杜鹃花，一棵是南洋杉，植物很漂亮，总是保持得很干净，无可挑剔，看着令人舒服，这也早就引起了我的注意。

"您瞧，"哈勒尔继续说，"这个窄过道放着南洋杉，可真好闻呀，我常到这儿就走不动了，要停下一会儿。您婶婶家味道也好闻，整洁有序，而这里的南洋杉过道明亮洁净，一尘不染，锃亮如洗，绝对干净，简直是光彩照人。我在这儿总要深呼吸，您不是也闻到了吗？地板蜡的味道、松香油的微微余香和贵重硬木、擦洗过的植物叶片散发出的味道融为一体，市民整洁、细致、认真、小事上尽责尽职，这种忠诚达到了最高境界。我不知道谁住在那儿，可这玻璃门后的人家一定是个乐园，一个清洁整齐、体现一尘不染的市民生活方式的乐园，井然有序的乐园，热衷于微不足道的习惯与义务的乐园，这种热衷劲让人感动。"

看我没说话，他又继续说："请不要以为我说嘲讽话！亲爱的先生，我嘲笑什么也不会嘲笑这种市民的生活方式与井然有序。不错，我自己生活在另外一个世界，不在这个世界，也许在有这种南洋杉的房子里哪怕待一天我都无法忍受。可虽然我是一匹衰老的、有点粗野的荒原狼，但我毕竟是母亲的儿子，她也是市民的妻子，养花，保养房屋、楼梯、家具和窗帘，尽可能地让家和生活干净、整洁、有序。松香油淡淡的香气以及南洋杉都让我想起这些，所以我有时坐在这儿，看着这个整洁静默的小花园，很高兴还有这东西。"

他想站起来，但很费劲，我扶他一把时他没拒绝。我仍然没说话，可我像姊姊先前一样，被这个怪人可能时而拥有的什么魔法征服了。我们一起慢慢上楼，他钥匙已在手，在门前又很友善、全神贯注地凝视着我的脸说："您下班了？算了，我对此一窍不通，是这样的，我的生活有点与世隔绝，有点边缘化，可我相信您对书之类的东西也感兴趣，您婶婶有一次告诉我说您毕业于人文高级中学，希腊语很好。对了，我今天早上在诺瓦利斯的作品中找到一句话，能给您看看吗？您也会喜欢的。"

他把我带到他房间，屋里烟味很冲。他从一堆书里抽出一本书，翻找着……

"这个也好，很好，"他说，"您听一下这个句子：'人应为痛苦而骄傲，每个痛苦都是我们贵人的回忆。'好！早尼采八十年！但这不是我指的那句格言，您等等，找到了。是这样说的：'绝大多数人在会游泳之前都不想游泳。'不好笑吗？他们当然不想游泳！他们为陆地而生，不是为水。他们当然不愿意思索，他们为生存而造，不是为思索！是啊，思索的人，以思索为重的人，虽然可以在思索中走得很远，但他毕竟错把水当陆地，早晚会淹死。"

于是他俘虏了我，引起了我的兴趣，我在他那里待了一会儿，自此，每逢我们在楼梯或大街上相遇时就往往会聊一会儿。像在南洋杉问题上一样，最初我总感到他在嘲笑我，可事实并非如此，他对我像对南洋杉一样极为尊重。他的形单影只，他的水中游泳，他漂泊的生活是有意为之，他对此深信不疑，所以偶尔看到一个市民的日常行为，比如我上班准时准点，再比如一个用人或电车售票员说的话，真的会让他兴奋，他毫无嘲弄之意。开始我觉得这一点很可笑，很夸张，是老爷与闲人的心境，是游戏般的多情善感。可我不得不越来越多地看到，他因处于真空中，因陌生感和荒原狼的狼性，而对我们小市民的世界真真切切地赞赏有加、喜爱有加，这个世界是固定有保障的生活，是他望尘莫及的生活，是故园与和平，可没给他开辟通往那里的路。他每次在我们的新邻居，一个老实的女人面前，都满怀真诚的崇敬之情脱帽致意，但凡我姊姊和他聊一会儿，或提醒他的衣服该补了，大衣扣子快掉了，他都以一种很奇怪的专注劲儿和一本正经的态度听着，好像他费了九牛二虎之力经什么缝隙闯进这个渺小的平和世界，宾至如归，哪怕只有一小时。

第一次与他交谈是谈南洋杉，那时他就称自己是荒原狼，这也让我有点惊讶和反感。这叫什么称谓？可后来我不仅因习惯而认可了这个称谓，而且不久我也私下，在我心里称这个男子为荒原狼，再也没改过口，至今也找不到更合适的词来形容这个人了。他是一匹因迷路来到我们中间、来到城里、走进众人生活的荒原狼，这个比喻再贴切不过了，令人信服地表现了他及他胆怯的孤僻、他的野性、他的不安、他的乡愁和他的漂泊。

有一次我能整个晚上观察他，是在一场交响音乐会上，我惊奇地发现他就坐在我附近，他没看见我。最先演奏的是亨德尔的乐曲，一曲曼妙高雅的音乐，可荒原狼若有所思地坐在那儿，既没融入音乐也没融入周围环境。他坐在那儿低头看着什么，无所归属的样子，孤独，陌生，脸色冷漠，但忧心忡忡。接下来是另外一支曲子，是弗里德曼·巴赫的小型交响曲，这时我惊奇地看到刚奏出几个节拍，我的陌生人开始笑了，沉醉了，看上去很投入地坐在那儿，有十来分钟，幸福地入了神，迷失在美梦中，这使我更多地关注了他而不是音乐。乐曲结束时他醒了，坐得直了一些，做出要起身的样子，好像要走，可仍坐着没动，还听了最后一支曲子，是雷格尔的变奏曲，这是一支让许多人感到有点冗长、听着累得慌的乐曲。荒原狼开始还乐意听，聚精会神的，后来身子却再次陷了下去，他把手插在兜里，再次陷入深思，但这次不是幸福的、进入梦乡的表情，而是显得惆怅，最终变成恼怒，他的脸再次变得遥远，渺茫，无光，他看上去衰老，病恹恹的，一副心存不满的样子。

音乐会后我在大街上又看到了他，跟在他后边走。他缩在大衣里，兴致索然、疲惫地朝我们那个区方向走去，可是在一家旧式小酒店前停了下来，犹豫地看了一下表，然后走了进去。我一时兴起跟上他。他坐在一张普通百姓爱坐的小酒桌旁，老板娘和女招待把他作为熟客问候，我打了个招呼坐到他身边。我们在那儿坐了一小时，我喝了两杯矿泉水，而他要了半升红葡萄酒，后来又要了四分之一升。我说我刚才听音乐会了，可他没答这个茬。他看了看我矿泉水瓶子上的标贴问我是不是不想喝葡萄酒，他说他请我喝。在听到我从来不喝酒时，他又做出无助的表情说："对，您做得对。我也多年过着节欲的生活，也长期节食，可目前又受水瓶座的影响，黑暗潮湿的星座。"

我开玩笑似的回应这个影射，表示说偏偏他相信占星术，这在我看来不可能，这时他又用常对我造成伤害的极客气的语气说："完全正确，可惜我也无法相信这门科学。"

我告辞走了，他夜里很晚才到家，但他的脚步一如既往，像以前一样他不是马上上床（我住他隔壁，听得很清楚），而是可能又在起居室点着灯待了一小时。

另外一个晚上我也没忘。当时婶婶外出，我一人在家，有人拉响门铃，我开了门，门前站着一个年轻美人，她问起哈勒尔先生时我认出了她，是他房间照片上的人。

我给她指了他的门，然后回到屋里，她在楼上待了一会儿，可不久我听到他们一起下楼出去了，两人谈笑风生。我对隐居者有情人感到很吃惊，而且是这样一个优雅的绝代佳人，我对他及他生活的所有猜测又变得不准了。可刚过一小时他又折回，独自一人，迈着沉重忧伤的脚步，费力地上了楼，然后几个小时在起居室里轻轻踱步，完全像一匹关在笼子里的狼，他房间的灯整夜开着，几乎亮到清晨。

对这种关系我一无所知，只想补充一点：还有一次我看到他和那个女人在一起，是在城里的一条街上。他们挎着胳膊走，他看上去很幸福，我再次感到惊奇的是他忧愁孤独的脸庞有时也会露出秀美，甚至天真的表情，于是理解了那个女人，也理解了婶婶对这个男子的同情。可那天晚上他又是悲痛欲绝地回到家。我在房门前碰到他，像时而看到的那样，他大衣的腋下夹着意大利葡萄酒，他在楼上的窝里喝了半宿。他让我感到惋惜，他过的是怎样一种绝望、不抵抗的生活呀！

好了，说得够多的了，不用继续以报告或描述来证明荒原狼过的是自杀者的生活了。尽管如此，我也不相信他是自杀的，我是说当时——就是某一天他交清了余下的所有房租后，没告别就突然离开了我们的城市，消失了。我们再也没听到他的消息，还一直保存着寄给他的信。除了一部手稿外他什么也没留下，这手稿是他在这里逗留时写下的，留给我的，还有几行字，让我随意处理他的手稿。

哈勒尔在手稿中讲述了许多经历，我不可能检验其内容是否属实。我不怀疑这些经历大部分是文学创作，但不是任意杜撰的，而是一种表达的尝试，要表现显现事件的外衣下深刻体悟到的精神生活的过程。哈勒尔的创作中有一部分富有幻想的事件，大概是他在我们这儿逗留的最后时期发生的，我不怀疑它们基于一段真实的外在经历。那段时间我们这位房客的举止与外表确实有所变化，常不在家，有时整夜不归，他的书动也没动放在那儿。我当时碰到他的时候不多，他看上去明显活泼了、年轻了，有几次简直是快乐的。但接下来又患了严重的抑郁症，几天卧床不起，不吃东西，他的情人又来了，也是那段时间他们吵得很厉害，甚至肆无忌惮，把整幢房子都吵翻了，第二天哈勒尔向我姊姊道了歉。

不，我确信他没自杀。他还活着，在什么地方迈着沉重的双腿在陌生人家的楼梯上上上下下，在什么地方盯着擦得锃亮的木地板看，盯着护养得很干净的南洋杉看着，白天坐在图书馆里，夜晚坐在酒馆里或躺在租来的长沙发上，临窗听着外面的世界和人们的生活，知道自己被排除在外，但并没自杀，因为剩下的那点信仰告诫他得在心里把这种痛苦，这该死的痛苦品尝到底，他得死于这种痛苦。我常常想到他，他没让我活得更轻松，他没那种天赋支撑、推动我内心强大与快乐的东西，噢，完全相反！可我不是他，我过的不是他那种生活，而是我的，生活虽渺小普通，但有保障有义务。这样我们——我和婶婶——可以静静地友好地怀念他。关于他，婶婶讲得会比我更多，但这些都保留在她那一片善心里。

哈勒尔的笔记是他的奇想，一部分是病态的，一部分是美妙、充满智慧的。对这些笔记我要说的是，如果它偶然落入我手中，且作者我又不认识的话，我肯定会一气之下扔了它。可因为我认识哈勒尔，所以能部分读懂乃至同意其内容。如果我把笔记只看作个别可怜的抑郁症患者的病态幻想，那么要不要把它告知他人我会有所顾虑。可我在里面看到了更多的东西，它是时代的文献，因为哈勒尔的精神疾患（我今天知道）不是个别人的妄念，而是时代本身的疾病，是哈勒尔那一代人的神经官能症，患此病的人绝不是羸弱和素质低下的个体，而恰恰相反，是最知性、最有才华的坚强个体。

这些笔记，不管其以多少真实体验为基础，都尝试着不以回避和美化的态度来克服时代的沉疴，要把疾病本身表现出来。这些笔记意味着穿越地狱（完全是字面义），穿过晦暗的精神世界的混沌，穿越时他时而充满恐惧，时而勇气倍增，他意在穿越地狱，欲与混沌抗衡，将邪恶忍受到底。

哈勒尔的一段话给了我这样理解的钥匙。有一次我们谈起中世纪所谓的残暴，之后他对我说："这些暴虐实际上不是暴虐。一个中世纪的人会因为我们今天的整个生活方式不残酷、不恐怖和不野蛮而厌恶它！每个时代，每种文化，每样习俗和传统都各有风格，都有与其相适配的温顺与强悍，美好与残暴，都认为某些痛苦是天经地义的，要以忍耐之心承受某些不幸。只有两个时代、两种文化和两种宗教彼此交错时人的生活才成为真正的苦难与地狱。一个古典时期的人如不得不生活在中世纪，会悲惨地窒息而死，正如一个野蛮人在我们文明中间也得窒息而死一样。在有些历史时期，整个一代人会深陷两个时代与两种生活方式的中间地带，以至于这一代人丧失了各种理所当然的概念、各个习俗、各种安全感和无辜感。当然不是每个人对此都感受强烈，像尼采这样的人要先于一代人更多地忍受今天的苦难——他曾不得不孤独地、不被理解地品尝的东西如今成千上万的人在忍受。"

在我读他笔记时我得常想到这番话。有些人陷入两个时代的中间地带，他们全然没了安全感和无辜感；有些人命里注定要把人类生活的所有问题都提升为个人的痛苦与地狱来体验，哈里就属这样的人。

在我看来，这就是他的笔记对我们可能有意义的地方，所以我决定将它们公布出来。此外对笔记我既不袒护也不斥责，让每个读者凭良知来评判吧！

哈里·哈勒尔的笔记

只为疯人而作

一天又过去了，这一天无异于往日，我将它杀死，温柔地将它杀死，以我生活艺术中简单、羞怯的方式；我工作了几小时，翻了旧书，病痛了两小时，上了年纪的人总会痛的，吃了药，很高兴骗过了疼痛，洗了个热水澡，吸进爽心的热气，收到三封信，看了所有无关紧要的信件和印刷品，做了呼吸练习，但今天出于懒散没做思维练习，散步散了一小时，发现天空画上了美丽、柔和、珍奇的毛卷云图案。这很美，读旧书也美，躺在热水盆里也美，可尽管如此，这不是个令人欣喜、阳光明媚的吉日和喜庆日，而是习以为常的普通一天，长期以来日子对我来说就该是这样的：一个不知足的中年先生的温暖日子，还算惬意，完全能忍受，过得去，没有特别疼痛的日子，没有特别的忧愁，没有真正的苦恼，没有绝望，在这样的日子里连死亡问题都可以心平气和地加以考虑，既不兴奋也不恐惧，实事求是，比如是否该学阿达尔贝特·施蒂弗特[1]的样子用刮胡刀了结生命。

有很糟糕的日子：痛风病突发或头痛难忍，病痛像在眼珠后深深扎下根，动动眼和耳就像中了邪见了鬼似的变快乐为痛苦；或灵魂已死，在这种可怕的日子里内心空虚、绝望；在这样的日子里地球被毁，被股份公司榨干，集市辉煌却虚假、卑鄙、空洞，而人类世界和所谓的文化在这辉煌中像催吐药一样亦步亦趋地对着我们冷笑，浓缩了，在自己已患病的"我"中达到了忍无可忍的程度。经历过那种地狱般日子的人，就会对像今天这样平凡、马马虎虎的日子心满意足，他心存感激地坐在暖炉旁，在阅读晨报时知道今天又没爆发战争，没建立新的专制政权，没揭露出政界与经济界极其恶劣的卑鄙行为，他为此而心存感激，他心怀感激之情地给他生锈的古琴琴弦调调音，好唱一首温和的、还算快乐的、几乎欢愉的感恩圣歌，他以此歌使他那平静的、温和的、用溴剂麻醉了的、知足的"半神"感到无聊，在这满足的无聊之不冷不热的浓郁空

气中，在这种值得感激的无痛状态中，两个人——无聊地打着瞌睡的"半神"和有少许白发、低声浅唱感恩圣歌的"半人"——像孪生兄弟那样相像。

处在知足与无痛的状态中是好事儿，过这种可忍受的屈从日子是好事儿，在这种日子里有一些痛苦与喜悦都不敢大声喊叫了，只是低声细语，踮着脚尖走路。只可惜我恰恰一点都无法承受这种满足感，过不了多久它就令我厌恶得要命，令我恶心，我绝望至极地要逃至其他温度中，也许通过快感，可必要时也通过痛苦。如果我有段时间既没喜悦也没痛苦，吸进了所谓好日子的冷热适中、乏味的可忍耐温度，那么在我幼稚的灵魂中我会感到痛苦无比，悲惨无比，以致把生锈的用来弹奏感恩歌曲的古琴朝昏昏欲睡的"知足神"的"知足脸"上扔去，我宁可感受极端的痛苦在内心燃烧也不要感受这种舒适的房间温度。然后我心中极度渴望强烈的感受，渴望轰动事件，心中燃烧着怒火，对这种和谐的、平淡的、规范化的和被阉割的生活感到恼火，心中充满着想砸毁什么东西的极强愿望，比如砸一家百货商店或一座大教堂或者我自己，还想做点别的鲁莽的蠢事儿，比如把一些尊者神像上的假发扯下来，给几个叛逆男孩他们想要的去汉堡的车票，引诱一个小女孩或把几个在市民界有序生活的代表的脖子拧下来。因为所有事情中最让我深恶痛绝和诅咒的就是这种知足感，这种健康状态，这种舒适，这种保持很好的市民的乐观主义，这种对平庸、平凡和平常事物丰润有效的培育。

天黑时我在这样的情绪中结束了这个不好不坏的平常一天，不是以对一个遭受了些痛苦的男子来说正常而舒适的方式，比如被准备就绪、以热水袋为诱饵的床所俘虏，而是带着不满和对我每日少许工作的厌恶结束这一天的。我心绪极坏地穿上鞋，披上大衣，在黑暗与雾霭中进了城，为的是到"钢盔酒家"喝点东西，这"东西"按旧习被喝酒的男人们称为"一小杯酒"。

于是我从复折式房间走下楼梯，走下异乡这道难走的楼梯，这道十分体面的三户人家所住房屋的楼梯，楼梯绝对是市民的，擦得干干净净，我的陋室就在这三户人家房子的阁楼上。可我不知道这是怎么回事儿，我，这匹无家可归的荒原狼，这个仇视小市民的孤独人，总是住在地道的小市民家里，这缘于我旧有的感伤情怀。我既不住宫殿也不住无产阶级的房子，而是偏偏总住在这种十分体面、万分无聊、保持得无可挑剔的小市民巢穴里，这里有点松节油和香皂的味道，如果有人把房门摔得山响或穿着脏鞋进来的话会叫人窒息的。毫无疑问，我自孩童时期起就喜欢这种氛围，我暗自渴望故土之类的东西，这种渴望总引我走愚蠢的老路，没治了。还有，我也喜欢对比，我的生活，我孤独的、随便的、忙碌的、彻底糟乱的生活与这种家庭和市民的环境形成了对比。我喜欢在楼梯上呼吸静谧、整齐、洁净、体面和温顺的气味，我虽然憎恨市民，但这种气味一直有感动我的东西，我喜欢之后迈进我房间的门槛，到这里这一切都结束了，书堆间是烟头和酒瓶，一切都邋遢，没有家的样，没有打理过，这里的一切，包括书籍、手稿、想法，都记载并浸透着孤独者的困顿，浸透着生而为人的问题，浸透着渴望，渴望赋予已变得无意义的人生以新意。

我走过南洋杉。也就是说在这栋房子的二楼，楼梯经过一户人家屋前的小过道，较之其他人家，这户人家无疑更是无可挑剔、更干净，刷洗得更彻底，因为这条屋前小过道熠熠生辉，看得出被精心养护，它是座闪亮整洁的小神庙。镶木地板人都不敢踩，上面有两只小巧的凳子，每只凳子上都摆放着一个很大的植物盆栽，一个盆里长着杜鹃花，另一个盆里长着很粗壮的南洋杉，它健康、挺拔，是孩子们的树，完美无缺，连最后树枝上的最后一片叶子都是新擦洗的，泛着光泽。有时，当我知道没人看见时，

29

就把此地作为神庙，坐到南洋杉上面一级楼梯台阶上，休息片刻，双手合拢，虔诚地朝下看着这个整洁的小花园，它令人动容的姿态和孤独的可笑劲多少触动了我的灵魂。我估计在这条小过道后面，差不多就在南洋杉一片树荫下的住户家里全是亮堂堂的贵重硬木家具，这家人过着极为体面而健康的生活，早起早睡，尽义务，轻松、愉快地欢度家庭节日，星期天去教堂。

　　我装出快活的样子，碎步走过街巷蒙上湿气的沥青路，路灯灯光泪盈盈的，忧郁迷离地穿过湿冷的阴暗，从湿淋淋的地面汲取懒散的折光。我想起忘却了的青年时代，当时我裹着大衣，顶风冒雨在敌意的、落叶的大自然中穿行了半宿，那时我是多么喜欢晚秋和冬天里幽黑昏暗的夜晚啊，是多么贪婪、多么陶醉地吸吮孤寂与伤感的情绪啊，当时也感孤独，但极为享受，诗意满怀，之后就回到我房间，坐在床沿上就着烛光写下诗句。不说了，已经过去了，这杯酒已喝光，没有再为我添杯。可惜吗？不可惜。过去了的事儿没什么可惜的。我是为今朝今世可惜，为现今我失去的无数的日日夜夜可惜，这些日子我都是在苦熬，它们既没给我带来礼物，也没带来震荡。但谢天谢地也有例外，有时，很少的时候也有其他时光，这些时光带来震荡，带来礼物，拆毁墙壁，把我这个迷途的人再次带回世界跳动的心脏。我伤心但内心极为兴奋地试图回忆最近经历的这类事情。那是在一次音乐会上，演奏的是一曲美妙、古老的音乐，这时在木管乐演奏者轻声演奏的乐曲的两个节拍之间，通向彼岸之门突然又为我打开，我越过天空，看见上帝在工作，我遭受了极乐的痛苦，不再抵抗世上任何事儿，不再惧怕世上任何事儿，肯定了一切，把我的心献给一切。这一状态持续时间不长，也许一刻钟，但那天夜里它再次入梦，自此它时不时地悄悄放出光芒，照亮所有沉闷的日子，我有时清楚地看到它像金色的神圣踪迹走进我的生活，有时只有几分钟，几乎总是深埋在泥泞与尘埃中，然后又以金色火花闪现，看上去永不会再消失，可不久再次消失得杳无踪迹。有天夜里发生了这样一件事：我醒着躺在那儿，突然诗句脱口而出，这些诗句真是太好、太棒了，都不允许我想到把它们记下来，早晨已记不起来了，但它们像放在裂缝的破旧盘子里的坚果一样深埋在我心中。最近这种事情还时有发生，一次是在阅读一个作家作品时，在思考笛卡尔和帕斯卡[1]的思想时，

1　都是法国哲学家、科学家。

另外一次是我和情人在一起时，它又会闪现，和金色踪迹一道飞向云天。唉，在我们过的这种生活中很难找到这种神圣踪迹，我们这个时代是多么知足，多么平庸，多么愚钝，看看这些建筑，这些商店，这种政治，这些人！在这样一个时代里很难找到这种神圣踪迹。这个世界追寻的目标我一个也不认同，这个世界的欢乐没一个对我显现，在这样一个世界里我怎么能不成为荒原狼，不成为一个粗鲁的隐居者！我既不能在剧院也不能在影院里久待，几乎无法读报，很少阅读现代书籍，我无法理解人们寻找的是怎样的乐趣与快乐，他们到处寻觅：在人满为患的火车上和宾馆里，在人满为患的咖啡馆里听着沉闷讨厌的音乐时，在高雅奢侈的城市里的酒吧和综艺剧院里，在世博会上，在巡游花车上，在给有求知欲的人作的报告中，在大操场上。我本可以找到些快乐，但其他成千上万的人努力争着寻找的这些快乐我都无法理解，无法分享。反过来在不多见的幸福时刻发生在我身上的事情，对我来说是欢乐，是体验，是心醉神迷，是心灵上的幸福感，而世人最多是在作品中认识、寻求并喜欢它们，在生活中却认为它们是疯狂的。的确，如果这世界是对的，如果咖啡馆里这种音乐，这种大众娱乐，这些有点东西就满足的美国人是对的，那么我就错了，那么我就是疯子，那么我真的是我常常自称的荒原狼，一只迷路的动物，它来到陌生、无法理喻的世界里，再也找不到自己的故乡、空气和食物了。

带着这些常有的想法，我在湿漉漉的街道上继续行走，穿过一个最宁静最古老的城区。街巷对面那片昏暗中有一堵灰色旧石墙矗立，我一直喜欢看它，它总是如此沧桑如此无忧无虑地耸立在那儿，左右两边分别是一座小教堂和一家旧医院，白天我常看着它粗糙的墙面休息一下眼睛，城里少有这么宁静、这么美好、这么静默的平面，除了这堵墙所在的地方，城里每半平方米就有一家商店、一个律师、一个发明家、一个医生、一个理发师或鸡眼治疗师向人们喊着自己的名字。现在我也看到这堵旧墙静静地、平和地矗立着，但它有点变化，我看到墙中央有扇漂亮的尖拱小门，我困惑了，因为真的不知道这扇门一直在那里还是新开凿的。它表面上看无疑是旧的，很旧，木头门板已经发黑，这紧闭小门几百年前也许通向某个宁静的修道院院内，今天修道院虽然已不在，但是小门仍旧留了下来，很可能这扇门我看过上百次了，只是从未注意它，也许它重新粉刷过，所以才引起我的注意。不管怎么说我停住脚步，仔细看过去，但并没走过去，中间的路太松软，又很湿，我停在人行道上，只是往那边看过去，一切都已昏暗，我觉得门四周有个编成的花环或其他什么花色的东西。我现在使劲儿看，看得再仔细一些，这时看到门上方有块亮牌匾，觉得上面写着什么字。我用力看，最后不顾泥泞和水洼走了过去。这时我看到门上方墙面原有的灰绿底色上有个斑点，被灯光微微照着，光影斑驳闪动的字母移过这个斑点，很快又消失了，来去匆匆。我想人们的确也真的滥用了这堵好的旧墙，用它呈现灯光广告！在此期间我辨认出几个一闪而过的句子，很难辨认，得半猜半认，字母出现的间隔长短不一，它们模糊不清，稍纵即逝。想以此赚钱的男子不老练，他是一匹荒原狼，可怜的家伙！他为什么让字母在老城最暗的小巷的墙上浮现？又是这个时辰，又是雨天，这时候没人来这里，为什么它们这么急匆匆，这么飘浮不定，这么变化多端，这么不好辨认？等等，现在我能认出来了，能挨个儿捕捉到几个句子了，它们是：

魔幻剧院

不可人人入内

——并非为每个人开放

我试着打开门，可不管怎么用力，沉重的旧门把手纹丝不动。字母游戏结束了，突然结束的，它很伤心，认识到它的枉然。我往后退几步，深踩到烂泥里，字母不再出现，游戏荡然无存，我在烂泥里待了许久，等待着，可什么也没等到。

我不再等，已返回人行道，这时一些炫彩灯光字母在我面前滑落到反光的沥青路上。

我看到：

只—为—疯—人！

我脚湿了，很冷，可我还是站在那儿等了好久。什么都没有。我还站在那儿想，柔和的炫彩字母鬼火似的在潮湿的墙上和黑亮的沥青上一闪而过时多漂亮呀，这时我忽然又想起先前的思想碎片——关于金色闪光踪迹的比喻，它突然又杳无踪影。

我很冷，继续走，追忆着那个踪迹，极渴望找到走进魔幻剧院的门，走进只为疯人开放的剧院。这时我来到集市区，这里晚间不乏娱乐活动，每走几步就挂有海报，布告牌上做着广告：女子乐队——综艺剧院——电影院——舞会——，但所有这些都不适合我，而是适合"每个人"，适合正常人，我也确实处处看到成群的正常人拥进门里。尽管如此，我悲伤的心还是豁亮起来，毕竟来自另外一个世界的问候触动了我，一些彩色字母舞动了，在我灵魂中触动了、弹奏了隐秘的和弦，一丝金色踪迹又得以看见。

　　我去探访旧式小酒馆，我第一次在这座城市逗留大概是在二十五年前，从那时起到现在酒馆没任何变化，老板娘仍是当年那个，今天顾客中的一些人也是当年的老顾客，坐在同样的位置，用同样的杯子。我走进简朴的酒馆，这里是避风港湾。它只是楼梯上南洋杉那样的避风港湾，我在这里同样也找不到故园和志同道合的朋友圈，只找到一处宁静的观众席，是在舞台前，舞台上陌生人演着陌生的戏剧，可这个宁静的座位就有点值得：没有人群，没叫喊，没音乐，只有几个安闲的市民坐在没铺桌布的木桌前（没大理石，没珐琅镶面，没长毛绒，没黄铜装饰），每个人都在夜饮价廉物美的酒。这几个老顾客我都面熟，他们也许是真正的市侩，他们家里笨拙的知足神像前摆放着单调的家用祭坛，也许他们和我一样也是孤僻的、出轨的家伙，他们也是理想破灭时满脑思绪的安静酒鬼、荒原狼和可怜人，我不知道。他们每个人都是被乡愁、失望、对补偿的需求吸引至此，已婚的在这儿寻找单身时的氛围，老官员追寻与大学时代相似之处，所有人都很沉默，所有人都是酒徒，像我一样宁可喝半升阿尔萨斯酒也不愿意去听女子乐队。我在这里抛锚，这里可以忍耐一两个小时。我刚喝口阿尔萨斯酒就感到今天除了早点吃了面包还什么都没吃呢。

真神奇，人什么都能吞下去！我大概读了十分钟报纸，用眼睛让一个毫无责任感的人的思想进入我体内，这个人在嘴里就着唾液大嚼别人的话，可不经消化又吐出来。我就吃这个，整个栏目。随后我吃了一整块牛肝，是他们从宰杀的小牛身上割下的。真神奇！最好的是阿尔萨斯酒。我不喜欢冲的烈酒，至少平日不喝，这样的酒以强烈的刺激招摇，以特别的味道著称。我最喜欢很纯正的、低度的、简单的本地酒，它们没什么名气，但有乡土、天地与小丛林的味道，很好喝，令人喜欢，可以喝很多。所有饭中最好吃的莫过于一杯阿尔萨斯酒加一块好面包。可我已吃下一份牛肝，这对很少吃肉的我来说是别有风味的享受，面前放着的已是第二杯酒。说起来也挺神奇的：在某个绿幽幽的山谷里，某位健康的、老实巴交的人种了葡萄，酿出葡萄酒，好让世上一些地方失望的、静静喝酒的市民和迷惘的荒原狼们远道而来，让他们能从杯中喝出点勇气和心情。

随它去吧，让它神奇好了！这很好，有助于稳定情绪。事后我对报纸胡编乱造的文章大笑不已，放松了不少。我忽然又想起吹奏演员轻轻吹出的那支已被遗忘的乐段旋律，它像反光的小肥皂泡在我心头升起，闪着光泽，把整个世界映得五彩缤纷而渺小，继而温和地弥散开来。如果这支美妙的小曲有可能悄悄在我灵魂中生根，有朝一日在我心中又催生出多姿多彩、让人喜爱的美丽之花，那我会彻底没希望吗？哪怕我是头理解不了周遭世界的迷路动物，但我愚昧的生活毕竟有了意义，我内心有点东西给出了答案，这东西是接收遥远星空来电的接收器，我脑海中堆积着上千幅画面：

乔托[1]创作的一群天使从帕度亚一座教堂的蓝色小拱顶那儿走来，走在她们身边的是哈姆雷特和头戴花冠的奥菲莉亚[2]，世上所有悲伤和误解的美好比喻，还有飞船驾驶员乔诺佐[3]站在燃烧的气球里吹号角，阿提拉·施默尔

1　意大利文艺复兴时期的画家。
2　莎士比亚作品《哈姆雷特》中的人物。
3　德国作家让·保尔（1763—1825）的作品中的人物。

慈列[1]手里拿着他的新帽子，婆罗浮屠[2]把其成堆的雕像推向空中。哪怕所有这些美好的形象活在其他成百上千人的心里，但毕竟还有成千上万其他不知名的音与画，其故乡、其看东西的眼睛和听东西的耳朵只活在我心中。医院老墙呈现出陈旧、剥蚀的点点灰绿，墙裂缝和风化处似乎有成千幅壁画，可是谁理会它们？谁会让它们走进内心世界？谁喜欢它们？谁感受得到其色彩轻轻褪去的魅力？画有微泛着光泽的插图的修道士们的旧书，被老百姓遗忘的德国一二百年前作家们的作品，所有破损的、霉斑点点的书册，老音乐家们的出版物和手稿，载着坚固的音乐之梦的结实而发黄的乐谱，谁聆听他们那思想丰富的、戏谑的、充满渴望的声音？谁怀揣一颗装满他们精神与魅力的心走过另外一个他们陌生的时代？谁还想着古比奥[3]旁边高山上那棵幼小而坚韧的意大利柏？它因山石塌陷而折弯了腰、裂开了缝，却顽强地活着，困顿中又催生出稀疏的新树枝。谁能给二楼勤劳的家庭主妇和她干净得发亮的南洋杉以正确的评价？谁夜里在莱茵河上读飘动的雾霭写下的

---

1 德国作家让·保尔的作品《施默尔慈列的弗莱茨之旅》中的人物。
2 印尼爪哇岛上的古老佛塔。
3 是意大利的城市。

云彩文字？是荒原狼。是谁在其生命的废墟上寻找飘散的意义？是谁在承受表面看是荒唐的事？是谁过着表面看是疯狂的生活？又是谁还暗自希望在最后的颠倒迷离的混乱中得到上帝的启示、走近上帝？

　　老板娘又想给我添杯，我紧捂住酒杯，起身，我不再需要酒了。金色踪迹闪现了，让我想起不朽之人，想起莫扎特，想起恒星。我又可以呼吸一小时了，可以活下去，可以生存，不需忍受痛苦，不必惧怕，不必羞愧。

　　我走到变得宁静的大街上，这时被冷风吹乱的丝丝细雨围着路灯沙沙作响，玻璃似的闪闪发光。现在去哪里？如果我眼下有想要什么就有什么的魔力，那么就给自己变出一间漂亮的小厅，路易十六式的，里面有几个出色的音乐家给我演奏两三段亨德尔和莫扎特的曲子。我现在适合听这个，像众神津津有味地啜饮琼浆玉液一样慢慢品尝清凉典雅的音乐。噢，如果我现在有个朋友该多好，随便哪个阁楼间的朋友，一个孤灯下思索、旁边放着小提琴的朋友！我在夜深人静时蹑手蹑脚地走近他，悄悄经过曲里拐弯的楼梯间爬上去，出其不意地拜访他，然后我们闲聊赏乐，共度几小时美好的夜晚，这样该多好！我曾经常常品尝这种幸福，在以往的岁月里，可连这个也随着时间的流逝离我远去，离开了我，凋谢的年华横亘在中间。

我犹豫着走上返家的路，高高立起大衣领，用手杖敲打着湿淋淋的石子路。虽然我走得这么慢，但不一会儿就会又坐在我复折式的房间里，坐在我那狭小的貌似故园的屋子里，我不喜欢它可又不能没有它，因为对我来说能行走在外、度过一个冬季雨夜的时代早已过去。随便吧，我不想坏了晚上的好心情，不管是被雨、痛风还是南洋杉，就算找不到室内乐团，也找不到拥有小提琴的形只影单的朋友，那美妙的旋律毕竟还在我内心回响，我边有规律地呼吸，边轻声哼着它，毕竟可以大致为自己演奏。我边想着边继续前行。确实，没有室内音乐，没有朋友也行，为徒劳的对温暖的寻求而折磨自己是可笑的。孤独是独立，我曾渴望拥有它，多年后得到了它。它是冰冷的，是的，可也是寂静的，它寂寥巨大，就像有星星旋转的清冷宁静的太空。

我路过一家舞厅，迎面响起一种激烈的爵士乐，又生又热就像生肉冒的热气。我停下片刻；不管我多么讨厌这种音乐，它对我始终有隐秘的诱惑力。我反感爵士乐，但较之当今所有的学院派音乐，我喜欢它不知多少倍，它有着欢快粗犷的野性，也深深触动了我的本能世界，它呼吸着一种天真正直的感官生活。

我站了片刻，闻着，闻着血腥而刺耳的音乐，恼怒而贪婪地嗅着这大厅散发出的氛围。这音乐有一半是抒情的，它过分感伤、甜腻，充满了愁绪，另一半则是野性的、率性的、强有力的，但两者天真、平和地并进，构成一个整体。这是没落之音，罗马在最后几任皇帝时代一定有类似之音。与巴赫、莫扎特和真正的音乐比，这音乐当然是污秽——但只要把我们所有的艺术、我们所有的思想、我们所有的所谓文化与真正的文化一比较，就知道它们也都是污秽。这种音乐的长处是情真意切，有可爱真实的黑人风格和欢快天真的心绪。这种音乐有点黑人的东西，有点美国人的东西，美国人强大，在我们欧洲人眼里显得这样朝气蓬勃和天真。欧洲也会变成这样吗？它已朝那个方向走了吗？对曾经的欧洲、以往真正的音乐、以往真正的文学，我们是资深行家和崇拜者，难道明天我们就会变成愚蠢的一小撮让人琢磨不透的精神病患者吗？明天会被遗忘被嘲笑？我们称之为"文化"、称之为精神、称之为灵魂、称之为美、称之为神圣的东西难道只是幽魂？难道它们早已死去，只有我们几个傻瓜还认为它们仍旧是真正的、有生命力的事物？它们也许从来不是真正的、有活力的？我们傻瓜为之努力的东西也许始终只是一个幻象？

老城区吸纳了我，小教堂幽暗无光，虚幻般地矗立在昏暗中。忽然我又想起了晚上的经历，那谜一般的尖拱门，门上谜一般的牌子，嘲讽般舞动的灯光字母。上面写着什么来着？"不可人人入内"，还有"只为疯人！"我望向古墙，审视着，暗自希望魔幻会再次开始，牌子上的文字会邀请我这个疯人入内，小门会放我进去。那儿也许有我渴望的东西？也许会演奏适合我的音乐？

幽暗的石墙不动声色地看着我，在一片漆黑中关闭着，深深陷入梦乡。哪儿也没有门，哪儿也没有尖拱，有的只是没有洞的幽暗、静谧的墙。我微笑着继续前行，友好地冲着旧墙瓦点点头。"好好睡吧，古墙，我不吵醒你。会有他们把你拆毁或用他们贪得无厌的公司招牌把你贴满的时候的，可你还在，你仍旧美丽宁静，让我喜欢。"

漆黑的深巷里走出一个人在我面前吐了口痰，吓我一大跳，一个孤独的夜归人，他步履困顿，头戴帽子，穿着蓝色衬衫，肩扛挂有海报的杆子，肚子皮带上像集市上的货郎一样挂着一只敞开的小木匣。他疲惫地在我前面走，没回头看我，否则我会跟他问个好，送他一支烟。我想借着近处的路灯灯光看看他的四方旗——他杆子上挂的红色海报上写着什么，可它晃来晃去，我什么也看不清。这时我叫住他，请他让我看看海报。他停了下来，把杆子竖直一些，这时我能看到舞动飞扬的字样：

无政府主义的夜晚娱乐活动！

魔幻剧院！

只为……

"我可是找过您的，"我高兴地喊了起来，"您那个夜晚娱乐活动是怎么回事儿？在哪儿？什么时间？"

他又要离开。

"不是每个人都能进的。"他漫不经心地说，带着睡腔跑开了。他烦了，他想回家。

"停一下！"我边喊边在后面追。"您匣子里是什么？我想在您这儿买点东西。"

男子没停下脚步，手却伸进箱子，机械地掏出一本小册子递给我。我很快接了过来收好。我解开大衣扣想找出点钱来时，他已拐进大门出入口，把门在身后关好后消失了。院子里响起他沉重的脚步声，先是在石子路上，继而在木楼梯上，最后我什么也听不到了。蓦地我觉得自己也累得很，觉得很晚了，现在该回家了。我加快了脚步，很快穿过睡眠中的城郊街巷，到了绿地间我住的地区，这里小巧干净的出租房前面有点草坪和常春藤，房子里住着公务员和普通退休人员。我走过常春藤、草坪和幼小的杉树，到了屋前，找到锁眼儿，找到灯的按钮，悄悄走过玻璃门，走过擦得锃亮的柜子和盆栽，打开我的房门，我的住处貌似小故园，这里等待我的是靠椅和炉子，墨水瓶和颜料盒，诺瓦利斯和陀思妥耶夫斯基，就像等待其他人，等待正常生活的人，就像他们回家时，母亲或妻子、孩子、女仆、猫狗在等待着。

我脱湿漉漉的大衣时小册子又碰到我的手，我把它掏出来，这是一本类似集市上卖的小册子，薄薄的，印刷质量很差，用的是劣质纸，就像那些《一月生人》或《八天后我如何年轻二十岁？》之类的小册子。

可当我舒服地坐到靠椅上、戴上眼镜时，看到小册子的封面标题却是《论荒原狼的宣传手册——只为疯人而作》，我感到惊奇，同病相怜的感觉油然而生。

宣传手册让我越读越紧张，我是一口气读完的，下面就是宣传手册的内容：

论荒原狼的宣传手册

——只为疯人而作

　　从前有个人名叫哈里，人称荒原狼。他两条腿走路，穿着衣服，是个人，可他原本是匹荒原狼。理解力很好的人所能学会的东西他也学会许多，是个相当聪明的人。但他有一点没学会：满足于自己和自己的生活。这他不会，他是个不知足的人。之所以这样很可能是因为他时时刻刻打心眼里知道（或以为知道）他根本不是人，而是来自草原的狼。聪明人也许会对他是否真是狼有争议：他是曾经，也许前世就被施了魔法由狼变为人？还是他生为人，但具有荒原狼的灵魂，被这灵魂附了身？还是只是他的幻觉或病态才让他以为自己原本是狼？比如这个人有可能在他童年时野性十足，桀骜不驯，不爱整洁，他的教育者想灭绝他身上的野性，正因为此让他产生了错觉，以为他原本真的是一头野兽，只是套上了一件教育与人的薄薄外衣。人们可以对此议论很久，消遣一下，甚至可以写这方面的书，但这无助于荒原狼，因为对他来说是否是狼的魔法附身，或狼挨揍逃进他身躯，还是只是他灵魂的一种错觉并不重要。其他人对此怎么想无关紧要，连他自己怎么想对他来说都不重要，这毕竟不能把狼从他身上拿掉。

就是说荒原狼有两种本性，一是人性，一是狼性，这是他的宿命，可能这种命既不特别也不罕见。据说看到许多人身上都有兽性，有许多狗或狐，鱼或蛇的东西，他们并没因此而有特别的麻烦。在这些人身上恰恰是人和狐、人和鱼并存，一方不让另一方痛苦，一方甚至帮助另一方。有的人做得更好，令人羡慕，他们身上更多的情况是狐狸或猴子比人走运。这点谁都知道。相反在哈里这里不一样，他身上的人和狼不是并行，更不彼此相助，而总是不共戴天地彼此对立，一方活着只会让另一方痛苦，如果共有一腔血、共有一个灵魂的双方是死对头的话，那么这是一种糟糕的生活。真是人各有命，人生不易啊。

在我们荒原狼这里情况是这样的：虽然他觉得自己时而是狼，时而是人，世上所有杂交人都如此，可是当他是狼的时候，他身上的人总是暗中窥视，观看着，评判着，校正着，而当他是人时，狼也如此。比如每当哈里作为人有个很好的想法，有种细腻而可贵的感觉，或做一件所谓的好事时，他身上的狼就龇牙咧嘴地笑，以极为嘲讽的口吻告诉他，这整个高雅的做戏与一匹狼的嘴脸配在一起是很可笑的。狼心里十分清楚它喜欢什么，它喜欢孤独地走过草原，有时吸血或追逐母狼，因而从狼的角度看，人的任何行为都十分滑稽、尴尬、愚蠢、虚荣。可当哈里觉得自己是狼，举止如狼一样，当他对别人露出狼牙，对所有人和他们欺骗、堕落的行为与习俗感到可恨且与之敌对时，情况同样如此，这时他身上人的一方暗中窥视，观察狼，称它是畜牲和野兽，以此败狼的兴，让它对其简单、健康、野的本性兴趣全无。

荒原狼就是这种状况，人们能想象得出哈里的生活不是那么舒服和幸福的。可这并不是说他特别不幸（虽然他自己觉得是这样，就像每个人都认为自己遭遇的痛苦是最大的一样）。不能说任何人特别不幸。哪怕没有狼在身的人也不一定因此而幸福。就是最不幸的生活也有阳光照耀的时候，也会在泥沙与岩石之间绽放出幸福的小花。在荒原狼这儿也是这样。他多数时候是很不幸的，这一点不能否认，但他也能让他人不幸，就是在他爱别人、别人也爱他时。因为所有喜欢上他的人总是只看到他身上的一面。有些人喜欢他是因为他是个正派、聪明、独特的人，可当他们突然发现他还是匹狼时，就吃惊、失望。他们没法不吃惊失望，因为哈里像每个人一样，想作为整体被人爱，所以当他很看重某些人的爱时，恰恰不能在他们面前隐藏他身上的狼性，或谎称没有。但也有一些人恰恰喜欢他身上的狼性，就是那种自由的、野性的、桀骜不驯的、危险的和强悍的品质，可如果野性十足的恶狼突然还是个人，心里还渴望善良与温顺，还想听莫扎特，想读诗，想拥有人类的理想的话，那么这些人就会感到特别失望和悲哀。大多数情况下恰恰是这些人特别失望、生气，就这样荒原狼让所有和他有关系的人都命里注定要面对他自己的两面性和矛盾性。

可谁要以为了解荒原狼，能想象他可怜、分裂的生活，那么他错了，他远远不是什么都知道。他不知道：不管怎么说在哈里这儿也有例外和幸福的事儿（就像凡规则都有例外，上帝也许宁可要唯一一个罪人而不要九十九个义人一样），他也能时而单把狼、时而单把人顺顺当当地吸入体内，能思考能感受，有时（极为罕见）两者甚至和解，彼此友好相处，这样一来不是一方睡觉而另一方醒着，而是彼此帮着恢复体力，让对方力量倍增。该男子生活中所有的正常习性、日常琐事、明了的事和有规律的事像在世上任何地方一样，有时目的好像只有一个：偶尔休息片刻，然后被打破，被例外、奇迹和恩惠取代。这短暂而少有的幸福时刻能否冲抵和减弱荒原狼的倒霉，以致快乐与痛苦最终保持平衡？还是那不常有的短暂但强烈的幸福时刻化解了所有不幸并占据上风？这又是一个闲人可以任意苦思冥想的问题。荒原狼也常常对此苦思冥想，他在闲散、无所事事的日子里就做这个。

对此还要说一点。与哈里类似的人很多，尤其许多艺术家就是这类人。这些人内心都有两个灵魂、两种本性，他们身上神圣的和邪恶的东西并存，既流着母亲的又流着父亲的血，既有承载幸福的也有承载痛苦的能力，两者同样敌对地、杂乱地并存并交织在一起，就像哈里身上狼与人的情况一样。这些人过着十分不安宁的生活，幸福瞬间很少，但他们在这幸福瞬间有时会体验到强大的、无以言表的美好事物，瞬间幸福的泡沫有时喷薄而出，高高跃出痛苦的海洋，妙不可言，以致这种一闪而过的幸福弥散开来，也触及、陶醉了他人。痛苦的海洋上稍纵即逝的珍贵的幸福泡沫就成了某些艺术作品，在这些作品中，个别饱受痛苦的人有那么一小时远远超越了自己的命运，以致他的幸福如星辰光芒四射，让所有看到它的人觉得看到了永恒的事物，这星辰宛如他们自己的幸福梦想。所有这些人，不管他们的行为和作品叫什么，其实根本没有生活，就是说他们的生活不是存在，没有形态，他们不像其他人是法官、医生、鞋匠或教师，也不是通常意义上的英雄或艺术家或思想家，不是的，只要人们不愿意在那些超越了这种生活的混乱而光芒四射的罕见体验、行为、思想与作品中看到意义，那么他们的生活便是永远的、痛苦的运动与激荡，是很不幸、很痛苦地被分裂，令人毛骨悚然，毫无意义。这类人生出危险和可怕的思想，他们认为整个人的生命也许只是一个严重的错误，是人类始祖母剧烈、失败的流产，是大自然一次极为失败而荒谬的尝试。可他们当中有人也产生另外一种想法，认为人不只是个还算有理性的动物，而且还是神之子，注定不朽。

每种类型的人都有他们的特征和标志，每种类型的人都有美德和恶习，每种类型的人都犯下滔天大罪。荒原狼的标志之一是夜猫子，清晨对他来说是糟糕的时辰，他怕清晨，它从来没给他带来好事。他一生中从来没在哪个清晨真正快乐过，他从来没在中午前做过好的事情，有好的灵感，能给自己和他人带来快乐。要到下午他才慢慢热起来，有了活力，在好日子的傍晚时分他才富有成果，活跃起来，有时情感炽热，心情愉快。这也与他对孤独与独立的渴求有关。对独立的渴求从来没人比他更强烈与热衷。他青年时期还很穷，辛苦挣钱，那时他宁可挨饿，衣衫褴褛，也要拯救点滴独立。他从来没为金钱和舒适的生活而出卖自己，从来没把自己出卖给女人和强者，他上百次舍弃并拒绝在所有人看来是对他有益、给他带来好运的事，为的就是保持他的自由。没有什么比想象一下履行职务、遵守日程及年度安排以及服从他人更招他恨、更令他害怕的事儿了。办公室、事务所、办公处对他来说和死亡一样可憎，他能梦到的最恐怖的事就是囚禁在营房。所有这些关系他都能摆脱，常常做出很大牺牲。这是他的强项与美德，在这个问题上他不屈不挠，坚持己见，在这个问题上他性格坚定、执着。他的痛苦与命运全与这一美德密切相关。他的情况和所有人的情况一样：他出于天性与最内在的本能而极固执地寻觅与追求的东西得到了，可超过了对人有益的程度。开始时这成了他的梦想与幸福，后来变成他的苦命。追逐权力的人毁于权力，追逐金钱的人毁于金钱，卑下的人毁于效力，寻欢作乐的人毁于作乐。就这样荒原狼毁于他的独立。他目的达到了，越来越独立，没人能指使他，他不用按任何人的意志行事，他干什么、不干什么全由他自己说了算，自由决定。因为每个强者都绝对能获得真正本能驱使他寻找的东西，可是在获得的自由中哈里陡然觉察到他的自由是死亡，他独自一人，世人以一种可怕的方式不去打扰他，别人和他毫不相干，甚至他自己和他都无涉，他处于无关系与孤僻的空气中，这空气越发稀薄，最后他慢慢窒息。因为情况变成独处与独立不再是他的愿望与目的了，而是他的命，注定要这样，用魔法许的愿一旦许下是收不回来的，就算他满怀渴望和良好的愿望向人伸出手，乐意建立关系与友谊，那也不管用了：人家现在让他独自一人。但他并非招人恨，让人厌。相反，他有许多"朋友"。许多人喜欢他。可他发现人家给予的始终只是好感和客气而已，人家请他，送他礼物，给他写温馨的信，可没人走近他，他在哪儿都没建立起关系，没人愿意分享他的生活，也没那能力。现在笼罩他的是孤寂的空气，是宁静的氛围，周围的世界溜走了，笼罩他的是无能——没有能力建立关系，有意志与渴望也无助于这种无能。这是他生活的重要特征之一。

另外一个特征是他是自杀者。这里得说明一下，只称那些真自杀的人为自杀者是错误的。这些人当中甚至有许多人在某种程度上只是偶成自杀者，自杀不一定是他们的天性。在没有个性、没有鲜明特征、非饱经风霜的人当中，在普通人和随大流的人当中有些人因自杀而身亡，可他们在整个标识和特征上并非属于自杀者一类，而相反在那些本质上是自杀者的人当中有许多人，也许大多数人从来没真正自杀过。自杀者（哈里就是其中之一）与死神的关系不必特别密切——这点人们能做到，不必完成自杀行为。但自杀者的特点是，他觉得他的"我"，不管正确与否，是大自然中一个特别危险的、成问题的、被危及的萌芽，总觉得自己特别惹祸招灾、遭受危险，好像他站在最狭窄的岩石顶，只要外部轻轻一推或内部有一丝丝的软弱就足以让他坠入空谷。这种人的命运的特征是：

自杀对他们来说是最有可能的死亡方式，至少他们自己是这样想象的。这种心境几乎总在少年时代就已显现并贯穿其一生，这种心境的前提不是生命力特别脆弱，恰恰相反，人们在自杀者中看到的是特别有韧劲、有欲求、也有胆量的人。就像有些人得点小病就容易发烧一样，我们称为"自杀者"的，总是很敏感、善感的人，他们遇到哪怕很小的刺激都容易深深沉浸在自杀念头中。假使我们有门科学有勇气与责任来研究人，而非只是研究生命现象与机制的话，假使我们懂点诸如人类学和心理学之类的知识的话，那么这些事实便会人人皆知。

　　我们在此对自杀者的一切论述自然只涉及表面，这只是一点心理学，也就是一点物理学。从形而上学角度看事情完全是另外一种样子，会更加清晰，因为这样观察"自杀者"就看到他们是负有个性化[1]罪恶感的人，在这些人看来，生活的目标不再是完善、提高自己，而是消解，是向母亲回归，向上帝回归，向宇宙回归。这些人中有许多人完全没动力实施真正的自杀，因为他们认识到自杀是罪孽。然而对我们来说他们仍是自杀者，因为他们不是把生，而是把死看作拯救，

1　"个性化"是荣格心理学的一个术语，指一个人成为自己且不同于他人的过程，也有译为"自性化"的。

他们乐意抛舍自己、献出自己、灭掉自己，回归初始。

正如每种力量都能变为懦弱一样(可能非得这样)，典型的自杀者反过来也常能变表面的懦弱为力量与支撑，他甚至常常这样做。哈里这匹荒原狼的情况也属此类。像千万个他这种人一样，他想象着通往死神之门随时向他敞开，他不是把这种想象变成一种青年人忧伤的幻象游戏，而是相反，他正是从这个想法中为自己找到慰藉与支撑。他这类人虽然每次受打击、每次痛苦、每种糟糕的生活状况马上在他内心唤醒以死来解脱的愿望，可他恰恰从这一倾向中逐渐为自己打造了一种有助于生存的哲学。他想着那个紧急出口始终敞开着，熟知这一想法给了他力量，让他产生品尝一下痛苦和逆境的好奇心，当他身处逆境时，有时可以以狂喜的心态，以一种幸灾乐祸之心感觉到："我倒是想看看一个人到底能承受多少！一旦事情达到所能承受的界线，我只需打开门就逃脱了。"有许多自杀者因有了这种想法而获得非同寻常的力量。

另外一方面，所有自杀者也熟谙怎样与自杀的诱惑进行抗争。每个人都在灵魂的某个角落里清楚地知道，虽然自杀是条出路，但毕竟只是一个有点破败的非法紧急出口，其实，比起亲手杀死自己，让生活本身战胜、杀死自己要崇高得多，好得多。这种认识，这种与所谓的自慰者的内疚同源的内疚，让大多数"自杀者"持续地与他们的欲望抗争，像盗窃狂与他们的恶习抗争一样。荒原狼大概也熟悉这种抗争，他变着法地用各种手段进行抗争。最终在四十七岁左右时想起一个不乏幽默的妙招，这常令他开怀。他把五十岁生日定为可以自杀的日子。他和自己商定，在这一天应由他自主决定是否走紧急出口，要视那天的心情而定。他认为，不管他遇到什么事儿，生病也好，贫穷也好，经历痛苦与辛酸也罢——一切都有大限，最多只是这几年、这几个月、这几天的事情，过一天就少掉一天！他现在的确对有些不幸更容易承受了，要是以前，这些不幸会折磨他很深很久，也许撼动了根。如果出于什么原因他的情况糟糕透顶，如果除了生活的荒芜、孤僻与不打理外还有巨大的痛苦或损失，那么他就能对痛苦说："你们等着吧，还有两年我就是你们的主宰！"之后他就满怀爱意地憧憬着五十岁生日那天早晨会收到贺信与祝福，而他，确认刮胡刀在手，告别所有的痛苦，把门在身后关上。然后骨头里的痛风、抑郁、头痛和胃痛都将统统滚到一边去。

还剩下对荒原狼的个别现象，即他与市民阶层的独特关系进行阐释，方法就是我们探寻这些现象的基本规律。我们就从他与"市民性"的关系说起，因为自然要说到它。

据荒原狼自己的见解，他完全置身于市民生活领

56

域外，因为他既不知道家庭生活是什么，也不知道社会虚荣心为何物。他觉得自己完全是个单枪匹马的人，有时是个怪人和病态的隐居者，有时也是超常的个体，具有天赋，超越了一般生活的普遍常规。他有意识地鄙视资产阶级，为不是资产阶级分子而感到骄傲。然而在某些方面他彻头彻尾地过着市民生活，银行有存款，资助穷亲戚，穿着虽然马虎，但体面，不招眼，他想和警方、税务局和类似的权力机构很好地和平共处。此外强烈的暗自渴望常把他引到市民的小世界中，引到安静、体面的住户家去，那里有干净的小花园和保持得锃亮的楼梯间，整个氛围朴实，是井然有序、体面的氛围。他喜欢自己有些微不足道的陋习，生活铺张，喜欢感觉上不是市民，而是怪人或天才，然而，这么说吧，他从未在不具市民性的生活领域里生活与居住过。他既不住在残酷无情之人和特殊人那里，也不在罪犯或被剥夺权利之人那里安家，而是始终居住在市民那里，他始终与他们的习惯、标准和氛围有关系，哪怕关系是对立与反抗的。此外他在小资产阶级的教育环境中长大，保留了许多这一阶层的观念与成规。他理论上对妓女一点不反感，但不能亲力而为地认真对待一个妓女并真的把她当同类看。遭国家与社会唾弃的政治犯、革命家或精神上的诱骗者他能像兄弟一样喜欢，但对小窃贼、入室盗窃者、强奸杀人犯除了以很市民的方式对他们表示同情外，不知如何与他们打交道。

他总是以这种方式，即用本性与行为的一半，来承认与肯定用另一半来克服与否定的东西。他长在有教养的市民家庭，承继了固有的形式与习俗，所以他灵魂的一部分总是停留在这个世界的规则上，在他早已超越市民可能达到的程度而完成自性化，并摆脱市民的理想与信仰后仍旧如此。

"市民性"是人的常态，它只不过是一种平衡的努力，是在人的行为的无数极端与矛盾中追求平衡的折中办法。如果我们随意找一对这种对立面作例子，比如圣者与纵欲者，那么我们的说法很快就清楚明了了。人是有可能彻底献身于精神上的东西、努力接近神明、献身于神圣理想的。反之他也可能彻底沉迷于本能生活——感官的要求，他全部的追求只着眼于获得眼下的快感。一条路通向圣者，通向精神的殉道者，通向在上帝面前放下自我；另外一条路通向纵欲者，通向本能的殉道者，通向在腐朽面前放下自我。市民想在这两者之间活得适度、折中。他们从不放弃自我，不沉迷，既不沉迷于醉生梦死，也不沉迷于清心寡欲，他们从不会成为殉道者，从不同意自毁——相反，他们的理想不是献身，而是保持住"我"，他们既不追求神圣，也不追求神圣的对立面，他们无法忍受绝对性，他们虽然想为上帝服务，但也为纵情声色服务，虽然想有道德，但也想在世上活得稍微好一点、舒服一点。简言之，他们想在两个极端中间立足，他们也能做到这一点，这是一个温和而适宜的区域，没有强风和暴雨，他们也能这样生活，但代价是无法体验那种以绝对与极端为准的生活赋予的生命力度与情感力度。有力度的生活只能以失去"我"为代价。市民最看重的就是"我"（当然只是发育不全的"我"）。就是说他们以失去力度为代价而得以维持、获得安全感，他们收获的不是对上帝的狂热，而是心安神宁，不是快感而是惬意，不是自由而是舒服，不是极端的炽热而是舒适的温度。所以市民本质上是软弱生命动力的造物，他们胆小怕事，唯恐丧失哪怕一点点的自我，容易被统治。因此他们以多数取代权力，以法取代暴力，以投票程序取代责任。

很清楚，这种软弱而胆小的人虽数量众多，但无法站稳，他们的特性决定了其在世上的角色只能在自由闲荡的狼群中充当羊群。然而我们看到，虽然在强者的专制时期市民马上受到排挤，但他们从没毁灭，有时看上去甚至还能掌控世界。这怎么可能？按理说不管是这个群体的众多人数还是道德，不管是其判断力还是组织，都没强大得足以不让他们灭亡。生命力自始就如此不强的人，世上无药能挽救其性命。可市民阶层活着，成长着，还很强壮。为什么？

答案是：因有荒原狼们。事实上市民阶层的活力绝不是基于其普通成员的特性，而是基于人数极为庞大的局外人的特性，市民阶层的理想具有模糊性与灵活性，所以他们能包容这些局外人。市民阶层中总是生活着众多强悍而野蛮的人，我们的荒原狼哈里是个典型例子。他远远超出了市民可能达到的程度而发展成为个体，他既识冥想的狂喜，也识憎恨与自恨的抑郁的快乐，他蔑视法律、道德和常理，可他仍是市民阶层的"囚犯"，无法摆脱这个阶层。就这样在真正的市民阶层的原本人群周围有人类广大的阶层安营扎寨，有千种活法与才智，他们中的每个阶层虽然都已超越市民阶层，有能力过绝对生活，可都因稚嫩的情感而与市民性藕断丝连，深受其生命力脆弱的传染，多少固守于市民阶层，多少还隶属于它，对它有义务，臣服于它。因为适用于市民阶层的是大人物们的倒过来的准则：不反对我的人就是赞同我。

如果我们在这一点上检验一下荒原狼的灵魂，那么会看到他高度的自性化决定了他是非市民的人——因为所有高度发展的自性化都把矛头对准"我"，想再次摧毁"我"。我们看到他内心有强烈的欲求既追随圣者也追随放浪形骸的人，然而出于某种软弱或惰性不能一跃而进入自由的、无拘无束的太空，仍旧痴迷于市民阶层沉重的母性天体。这是他在宇宙中的位置，这是他的束缚所在。绝大多数的知识分子，绝大多数的艺人属这类人。他们中只有最强者穿破了市民地球的大气层，抵达宇宙，其余的人都心如死灰或妥协，他们看不起市民阶层，然而又属于这一阶层，最终不得不通过对它的肯定来强化、美化它以求生存。对这些无数人来说，这够不上悲剧，但大概算是大灾大难，在厄运的地狱中他们的天赋煮熟了，变得丰厚。少数挣脱了的人则走向绝对，以值得赞赏的方式毁灭了，他们是悲剧性人物，人数很少。可其他人，那些仍受束缚的人，市民阶层常常很敬重他们的天赋，因为第三个王国向他们敞开着，这是个想象的、但独立自主的世界：幽默。静不下心来的荒原狼们，这些始终饱受煎熬的人群，他们缺少悲剧所需的、向星空突围所需的冲击力，他们感到自己的使命就是追求绝对可又不能在绝对中生存：如果他们的思想在苦难中变得坚强而灵活，那么就有一条走向幽默的调和之路向他们显现。幽默一直多少带点市民性，虽然真正的市民不能理解它。在幽默想象的领域里，所有荒原狼的错综复杂的、多重的理想得以实现：这里不仅可以同时肯定圣者与放荡者，让两极彼此迎合，而且还能对市民加以肯定。心中只装着上帝的人完全可以肯定罪犯，反之亦然，但对两者和其他所有相信绝对的人来说，不可能还肯定那个中性、温和的折中之道，即市民性。唯有幽默这个美妙的发明才能变不可能为可能，幽默是负有完成伟业的使命而受阻的人发明的，是几乎悲剧性的人物发明的，是极具天分的不幸者发明的，唯有幽默（也许是人类最独特、最具独创性的成就）用其棱镜射出的光芒覆盖人类所有的领域并把它们融为一体。人生在世仿佛又不在世间，遵法可又凌驾于它，拥有"像是没拥有"，舍弃仿佛没舍弃——所有这些高超的处世之道喜爱并常提的要求唯有幽默能够实现。

假如荒原狼还能在其地狱般沉闷的混乱中熬出并排泄出这个魔力饮料，且他对此既不乏天赋又有这么做的兆头，那么他就得救了。至此他还缺少许多东西，但有了可能性和希望。可能喜欢他、同情他的人希望他得救。虽然他会因此永远恪守市民性，但他的痛苦可以忍受了，变得有益了。在爱与恨中，他与市民界的关系会失去伤感，他对这个世界的依附将不再会是耻辱，不再会不断地折磨他。

为达此目的，或为了也许最终还敢一跃而进入宇宙，这样一匹荒原狼必须直面自己，必须深深地直视自己灵魂的混沌，充分意识到自己。这样一来他那成问题的存在会以不容改变的状态在他面前揭示出来，此外他将不再总能从他本能的地狱逃至感伤哲学的慰藉中，再从这种慰藉中逃至狼性盲目的如痴如醉的状态中。人与狼会被逼得不以伪装的感情面具来认清彼此，直视对方眼睛。然后他们要么勃然大怒，永远分道扬镳，弄得不会再有荒原狼，要么他们在幽默冉冉升起的光照下结成理性姻缘。

哈里可能有一天将面对这最后的可能性，可能有一天他能学会认清自己，不管通过什么途径，比如他得到我们小镜子中的一个，或是遇到不朽之人，或者也许在我们众多魔幻剧院中找到那个解放其乱糟糟的灵魂所需的剧院。上千种可能性等着他，他的命运强烈地吸引着这些可能性，市民阶层中所有的局外人都生活在这些魔幻可能性的氛围中。一点微不足道的东西就够了，就导致闪电了。

哪怕荒原狼从未看到他内心的生平简历也完全知道这一切。他知道他在世界大厦里的位置，他知道并了解不朽之人，他知道并担心自我相遇的可能性，他知道有那面镜子，他十分有必要往里照，可又怕得要死。

在我们探讨结束之际还需揭示出最后一个虚构，一个基本的"错误认识"。所有的"阐释"，所有的心理学，所有的理解尝试都需要辅助手段、理论、神话和谎言；一个本分的作者不应忽略在阐述的结尾处尽可能地揭开这些谎言。如果我说"上"或"下"，这就是个断言，需要对此进行解释，因为上、下只存在于思维中，只存在于抽象中。世界本身不识上、下。

简言之，"荒原狼"其实也正是一个虚构。如果哈里自己觉得是狼人，认为是由两个敌对的、相反的本性组成，那么这只是一个简单化的神话。哈里根本不是狼人，如果我们停留在表面上，未细究并接受了他自己杜撰并信以为真的谎言，确实想把他看作双面人、看作荒原狼并试着加以阐释的话，那么我们就是利用了错误认识，以期让人更容易地理解，现在应试着对这个错误认识加以更正。

狼与人的二分法，本能与精神的二分法是哈里用来更明白地说明其宿命的，这种二分法是很粗略的简化，是对真正事物的歪曲，为的是清楚地，但错误地对矛盾进行阐释。这个人在自己身上发现了这些矛盾，在他看来它们是他不小的痛苦的根源所在。哈里在自己身上发现一个"人"，就是说发现了一个世界，这里有思想、感情、文化，具有熏陶和升华的属性，此外他还发现了一匹"狼"，就是说一个晦暗的世界，这里有本能、野性、残忍、未升华的粗鲁天性。尽管他的本性表面上一分为二，分得这么清，两个领域彼此敌对，可他时不时地会有狼与人彼此相容的瞬间。如果哈里真的想在他生命中的任何时刻，在任何一种行为中，在任何一种感觉中搞清哪部分有人、哪部分有狼参与，那么他会马上陷入困境，他整个冠冕堂皇的狼理论会破碎。因为没有一个人，哪怕是未开化的黑人，哪怕是笨蛋，也没简单得令人欣慰，简单到其本性可以用只有两三个主要成分相加的和来阐释；哈里是个差异蛮大的人，连这样一个人也用天真的狼与人的二分法加以解释是个极幼稚的尝试。哈里不是由两个本性，而是成百上千个本性组成。他的生命（像每个人的生命一样）不只在两极之间摆动，比如在本能与精神或圣者与纵欲者之间，而是在上千个、无数个对立极之间摆动。

哈里知书达理、聪慧明智，像他这样一个人都能把自己看作"荒原狼"，以为能把他丰富、复杂的生命形体用如此朴素、如此直接、如此简单的公式加以概括，对此我们不应感到吃惊。人没有能力进行高难度的思维，连最知性、最有教养的人也总是戴着一副天真、简单化、充满谎言与假公式的眼镜看世界和自己——但看得最多的是自己！因为好像人人都需要把"我"想象成一个整体，这种需求是与生俱来的、完全自发的。就算这种妄想常遭重创，但它总会再愈合的。法官刚才还与杀人犯面对面坐着，直视他的眼睛，听一会儿杀人犯用他自己的（法官的）声音说话，发现在他自己内心也有杀人犯所有的感情冲动、能力和可能性，可旋即他又是一体了，又是法官了，一跃而返回他想象的"我"的外壳中，履行职责，判杀人犯死刑。

如果在人极具天赋、敏感组织起来的灵魂中逐渐形成对其多重性的认识；如果他们像每个天才一样冲破人格是整体这一妄想，能觉得自己是由多部分组成的，是由许多"我"捆在一起的，那么他们只需表达出此意，占多数的人马上就会把他们关起来，叫来科学帮忙，诊断出精神分裂症，以保护人类不会从这些倒霉人口中听到真理的呼唤。好了，干吗还要在这里说这些话？干吗说出每个有思想的人都明白、但说出来有违习俗的事儿？——就是说一个人如果已进了一步，把臆想出来的"我"的统一体扩展成两体，那么他几乎已是个天才，可不管怎么说是个少见的、有趣的例外。可实际上没有"我"，哪怕是最天真的"我"也不是统一体，而是一个极为多元的世界，是个微小的星空，是形式、等级、状况、遗传与可能性的混杂体。每个人都力求把这种混合体看作统一体，张口闭口说"我"，好像这是一个简单的、固定成形的、轮廓清晰的现象：这个人人（最崇高的人也如此）常有的错误认识好像是一种必需，就像呼吸与饮食一样是生活不可或缺的。

这个错误认识基于简单的套用。每个人作为躯体他是统一体，但作为灵魂永远不是。连在文学作品中，甚至在文学精品中，总是习惯性地表现表面是整体，表面是统一体的人物。专业人士，专家们对迄今为止的文学作品评价最高的是戏剧，有道理，因为戏剧为表现"我"的多样性提供了（或本可以提供）最大的可能性——如果不是粗略目睹的现象与它相矛盾的话，如果不是表面看到的东西让我们错以为剧中的每个人物都是统一体的话，因为他们的躯体必然是唯一的、统一的、完整的。质朴的美学对所谓性格戏的评价是最高的，在这种戏里，每个人物都是以统一体面貌单独出场，很好辨认。只有从远处看才渐渐清楚地知道这一切也许都是廉价的表层美学，如果我们把古典时期的美的概念用在我们伟大的戏剧家身上，那就错了，这些概念虽绝妙，可不是我们与生俱来的，而是灌输给我们的，古人处处从看得见的躯体出发，实际上凭空虚构出了"我"，虚构了人物。古印度文学完全不识这个概念，印度史诗中的英雄不是人物，而是人物群，是一系列的化身。在我们现代世界里有这样的文学，它想在人物戏与性格戏的面纱后表现灵魂的多样性，对此作家或许完全没意识到。想认识到这一点的人，就得下决心不把这样一种文学中的人物看作是个体，而是部分、侧面，看作更高统一体的（比如作家的灵魂）不同方面。以这种方式看浮士德，那么对他来说浮士德、梅菲斯特、瓦格纳和其他人物变成了统一体，变成了超人，在这个更高的统一体中，而不是在各个角色中，才能勾勒出一点灵魂的真正本质。浮士德有句格言在学校老师们中很著名，市侩们以敬畏之情对其大加赞赏，即"哎呀，有两个灵魂在我胸中！"浮士德说这话时忘了梅菲斯特和一大堆其他的灵魂，他胸中同样有这些灵魂。我们的荒原狼也以为心装两个灵魂（狼与人），觉得心胸因此而拥挤不堪。心胸与躯体始终就是一个，里面居住的灵魂可不是两个或五个，而是无数个；人是由百层皮组成的洋葱，是一个用许多线织成的织品。古老的亚洲人认识并清楚地知道这一点，佛教的瑜伽发明了一个详尽的技巧来揭露人格的妄想。人类的游戏有趣多样：印度千年来努力揭露妄想，西方做出同样多的努力来支持与强化这一妄想。

如果我们从这个立场看荒原狼，那么就清楚他为什么受可笑的二重体的煎熬了。他像浮士德一样以为两个灵魂对一副胸腔来说太多了，一定会把它挤破的。可事实相反，它们太少了，如果哈里想以如此简单的概念理解灵魂，那他就大大歪曲了他可怜的灵魂。虽然哈里是个极有文化的人，但他的做法就像一个未开化、只能数到二的人。他称自己一半是人，另一半是狼，以为这样就认识到家了，就到底了。他把在自己身上发现的一切精神的、升华的或绝对文明的东西都放到"人"的筐里，把一切本能的、野性的和混沌的东西都归于狼。可生活中情况不是像我们想的这么简单，不像我们可怜的愚蠢语言表达的这么粗略，如果哈里运用这种低劣的狼的方法，那么他就是双重自欺。我们担心哈里已把他灵魂的全部领域都算作"人"，而它们还远远不是人，又把他的部分本质算作狼，而它们早已超越了狼。

像所有人一样，哈里也以为很清楚人是什么，其实他完全不知道，虽然他在梦中和其他难以控制的意识状态中没少隐约感知到这一点。但愿他别忘记这种感知，但愿他尽可能掌握这种感知！人可不是固定、持久的形态（这是古典时期的理想，虽然他们中的智者有完全相反的认识），人更多的是一种尝试，一种过渡，他只不过是自然天性与精神之间一座危险的窄桥。他内心最深处的宿命驱使他走向精神，走向上帝；而他最热切的渴望又要把他拉回到自然天性中，拉回到母亲身旁：他的生活就成了充满恐惧地、战战兢兢地在两股势力之间摆动。人们对"人"这个概念如何理解，始终只是市民暂时达成的一致。某些最粗野的本能遭这种规约的拒绝和唾弃，后者要求人要有点意识、教养和去兽性化，不仅允许甚至要求有一点精神。符合这种规约的"人"像每个市民理想一样是个妥协，是个胆怯而天真机智的尝试，既蒙骗邪恶的始祖母——自然天性，也欺骗讨厌的始祖父——精神的强烈要求，然后栖居在它们两者之间温和的中间地带。所以市民允许、容忍他们称之为"个性"的东西，可与此同时让个性听任那个莫洛赫神[1]——"国家"的摆布，不断地挑唆两者之间争斗。所以市民今天可以把一个人作为异己烧死，作为罪犯绞死，后天却又为他树碑立传。

"人"不是创造物，而是精神上的要求，是一种遥不可及的，既渴望得到又害怕得到的可能性，通向那里的路总是只走一小段就经历百般折磨与狂喜，恰恰是那些少数人走这条路，为这些人准备好了今天的断头台，准备好了明天的荣誉纪念碑——这一点荒原狼也多少知道。可与他的"狼"相反，他心里称为"人"的东西大部分只不过是那个市民规约中的平庸"人"。虽然哈里可能很清楚通向真正人的路、通向不朽之人的路在哪儿，时而也走一段极短的犹豫之路，为此付出的代价是巨大的痛苦和钻心的孤寂，但他灵魂最深处毕竟还是害怕的，怕对那个最高的要求、那个精神寻找的真正的形成中人加以肯定与追求，怕走那条通向不朽的唯一狭路。他肯定感觉到这会导致更大的痛苦，会招致唾弃，导致最后的舍弃，也许会让他走向断头台，——哪怕这条路的终点有不朽在召唤，他还是不愿意受所有这些苦，经历千般死。虽然他比市民更清楚成为人的目标是什么，可他眼睛一闭，不想知

---

[1] 一个需要儿童作为献祭品的神。此处引申义为惨无人道、贪得无厌地吞噬一切的暴力。

道通向永恒死亡最稳当的路是绝望地依恋"我",绝望地贪生,而不怕死、脱去外壳、将"我"永远奉献给变化则可以让他走向不朽。如果他在不朽之人中崇拜他青睐的人,比如莫扎特,那他始终还是用市民的眼睛看他,喜欢完全像一个老师那样阐释莫扎特的卓越,只看到他很高的专才天赋,而没看到他伟大的奉献与激情,也没看到他对市民理想的漠不关心和对那种极端孤独的忍耐,痛苦之人和形成中人周围这种孤独稀释了所有市民大气层,把它变成了冰冷的世界苍穹,孤独是那种客西马尼园[1]中的孤独。

不管怎么说,我们的荒原狼至少在自己身上发现了浮士德式的双重性,他发现他躯体的统一不包含灵魂的统一,而他最多只是在路上,在为这种和谐一致的理想长途跋涉去朝拜。他想要么战胜自己身上的狼,完全成为人,要么放弃人,至少作为狼过一种统一的、完整的生活。估计他从来没仔细观察过真狼——否则他也许就看到动物也没统一的灵魂,在它们那漂亮有弹性的躯体的外形后面也有多种追求与情形,狼内心也有深渊,狼也痛苦。人要"回归自然天性",终究也要走一条充满痛苦和无望的歧路。哈里永远不能完全成为狼,就算可以,他也会看到狼同样根本不是简单的、

1　耶稣被他的门徒加略人犹大出卖的地方。

初始的生物，而是极为多元、极为复杂的生物。狼胸中也有两个或两个以上的灵魂，渴望成为狼的人得了和唱那首《噢，还是孩子，真幸福！》歌的男子一样的健忘症。这个歌唱幸福孩子的男子是个讨人喜爱但多愁善感的人，他同样想回归自然天性，回归无邪，回归初始，完全忘记了孩子绝不是快乐至极的，他们有时可能要承担许多冲突，他们有时可能要承担许多矛盾，他们有时可能要承担所有的痛苦。

没有回头路可走，既没成为狼也没成为孩子的回头路。万物初始不是无邪和纯朴；一切创造物，哪怕看上去最简单的，已背负着罪责，已是多元的，被抛进成长的肮脏洪流中，永远不再，永远不再能逆流漂浮。通向无邪之路，通向未被创造之态之路，走近上帝之路是回不去的，而是向前，回不到狼或孩童状态，而是继续走，一直走向罪恶，越来越深地走进形成人的过程中。自杀也不会真的对你，可怜的荒原狼有用的，你还要走更长、更艰辛、更艰难的形成人之路的，你还得常让你的双重性翻几倍，还得使你的复杂性更复杂。你还得让你痛苦地扩展的灵魂吸纳越来越多的世界，最终吸纳整个世界而不是让你的世界变窄，同时让你的灵魂简单化，为的是有朝一日也许走到终点时得以安息。这条路佛陀走过，每个伟人走过，前者是有意而为之，后者则没意识到，只要他的冒险行为告成就是了。每个诞生都意味着脱离宇宙，意味着限定范围、与上帝分离、痛苦万分地重新形成。重返宇宙、消除痛苦万分的自性化、成为神则意味着：尽可能宽地拓展自己的灵魂，让它可以重新囊括宇宙。

这里所说的人不是学校、国民经济与统计学意义上的人，不是几百万数量的大街上闲逛的人，对这些人的评价应很差，通常认为他们只不过是海边的沙子或波涛溅起的浪花：几百万人多点少点不重要，他们是物质，仅此而已。不，我们这里说的人是高深意义上的，指的是形成人的漫长之路要达到的目标，指的是贵人，是不朽之人。天才并非像我们觉得的那样少见，当然也不是像文学史和世界史，甚至报纸以为的那么多见。在我们看来，荒原狼哈里本有足够的天赋尝试一下形成人的风险，而不是一遇困难就悲哀地用他那愚蠢的荒原狼做借口。

有这种可能性的人用荒原狼和"哎呀，有两个灵魂在我胸中！"的观点来应付事儿，这一点让人惊叹、悲伤，就像他们常胆怯地喜欢市民性一样。一个有能力理解佛陀的人，一个隐约知道人类的天空和深渊的人不应活在一个由常理、民主和市民教育主宰的世界里。他只是出于胆怯才活在这样的世界中，如果他的空间令他压抑，如果他觉得市民的陋室过于拥挤，那么他就把责任推给"狼"，不想知道狼有时是他最好的成分。他称自己身上所有野性的东西为狼，觉得它险恶，让老百姓惊恐——可自认为是艺术家并具有细腻感觉的他不能看到除了狼还有许多其他东西在他身上，不是能嗥的东西都是狼，狼背后还有狐狸、龙、虎、猴和极乐鸟。这整个世界，这整个伊甸园充满着各种形态：妩媚与可怕的、大大小小的、强悍与温柔的。这整个世界，这整个伊甸园被狼的童话压倒、拘禁，正像里面真正的人被表面人，被市民压倒、拘禁一样。

想象一下有个花园，里面树木种类繁多，百花齐放，水果种种，杂草种种。如果这个花园的园丁不知其他的植物划分，只识"可食"与"不可食"，那么他花园里十分之九的植物对他毫无用处，他就会把最令人着迷的花卉拔掉，把最宝贵的树砍掉或讨厌它们，不正眼瞧它们。荒原狼就是这样对待他的灵魂百花的。凡是归不了"人"或"狼"类的，他根本不屑一顾。可他什么不归到"人身上"呀！一切胆怯的，一切笨拙的，一切愚蠢的，一切小气的，只要不那么有狼性，他都算在"人"身上，同样，他把一切强悍的、崇高的都算在狼性上，只因他还不能降住它。

我们告别哈里，让他继续独自走他的路。要是他到了不朽之人那里，要是他走过艰难之路抵达了目标，他再看自己走过的路该多吃惊呀：是穿梭往返、坎坷曲折、犹豫不决的之字形！他将怎样对着这匹狼笑呀，带着鼓励、责备、同情和嘲笑的态度！

我读完后想起曾在几周前的一个夜里写下的一首有点特别的诗，内容同样也是有关荒原狼的。我在堆满东西的写字桌上的纸堆里寻找，找到后读道：

> 我荒原狼疾走，疾走
> 漫天大雪，
> 乌鸦从桦树中振翅飞出，
> 可哪也不见兔子，哪也不见小鹿！
> 我如此爱小鹿，
> 能找到一只该多好！
> 我会放在嘴里拿在手上，
> 真是美不胜收。
> 我会打心眼里喜欢这情人，
> 以致狠咬她娇嫩的大腿，
> 饱饮她淡红色的血，
> 接着整夜孤独地号叫。
> 甚至有只兔子我也会满足，
> 夜里它热腾腾的肉香喷喷——
> 唉，凡让生活快乐一点的事情
> 难道都离我而去？

我尾巴上的毛已灰白，

老眼也昏花，

多年前我爱妻已逝。

现在我一路小跑渴望得到小鹿，

一路小跑渴望得到兔，

冬夜听风吹，

以雪湿润我干渴的嗓，

把我可怜的灵魂带给魔鬼。

　　这样我手上有两幅我的"画像"：一是用双行押韵[1]诗书写的自画像，它像我自己一样忧伤恐惧；另外一幅看上去冷漠，好像被高度客观地刻画，是被一个局外人从外部和上方观察的，被一个知道得差不多和我自己一样多的人书写的。这两幅画像——我那结结巴巴忧伤诵读的诗句与那篇作者不详的睿智论文一样令我伤心，两幅都有道理，两者都毫不掩饰地刻画出我前景黯淡的生存，两者都清晰地刻画出我难以忍受、难以为继的状况。这匹荒原狼非死不可，非得亲手结束他令人厌恶的存在——或必须转变，在重新自我观察的死亡之火中熔化，必须撕下他的面

1　这里当然是指德文原诗里的押韵。

具，重新形成"我"。对了，这个过程对我来说不新鲜，并非不熟悉，我了解它，已经历过多次，每次都是在绝望至极的时期经历这个过程。这种体验令人极为激动，每体验一次我的"我"就粉身碎骨一次，每一次都是深层力量把它唤醒并摧毁，而每一次我精心保护且喜爱有加的一部分生活都背弃我，离我而去。有一次我丧失了市民声誉，连同我的财产，我不得不学会放弃至今在我面前脱帽致敬者的尊重。另外一次是一夜间我的家庭生活破碎了；我患神经病的妻子把我赶出家门和舒适的生活，爱情与信任瞬间变成了憎恨与致命的争斗，邻居既同情又鄙视地目送我离去。当时我的孤独就开始了。又过了几年，艰难苦涩的几年，这时我在极为孤寂与困难的自律中建起苦行式而有精神寄托的新生活，又找到生活的某种安宁，达到了某种生活高度，沉迷于抽象的思维操练与严格进行的冥想，之后这样的生活规划再次崩溃，一下子失去其崇高而重大的意义；无目的的、劳顿的旅行重新带我走遍世界，新的痛苦堆积起来，还有新的罪责。每次撕下面具、理想破灭前都有这种极度的空虚与恬静，这种致命的束缚感、孤寂与无牵无挂的处境，都有这种无情与绝望的空洞而荒凉的地狱，就像我现在也需再次穿越地狱一样。

每每我生活遭遇这种震荡时，我最终都多少有所斩获，这是不能否认的，获得了一点自由、精神的深度，可也获得了孤寂、不被理解和感冒。从市民角度看，经历了一个又一个这样的震荡，我的生活不断走下坡路，离正常的、允许的与健康的东西越来越远。随着岁月的流逝我没了职业，没了家庭，没了故乡，远离所有社会团体，形单影只，得不到任何人的爱，受到许多人的质疑，总是和公众意见与道德发生尖锐的冲突。就算我仍生活在市民框架内，但以我全部的感觉与思想，我在这个环境中毕竟是个陌生人。宗教、祖国、家庭、国家对我来说已失去价值，和我再没任何关系，科学、同业公会与艺术的妄自尊大让我恶心；我曾因见解、鉴赏力和全部思想而令他人钦佩，是个有天赋且受人爱戴的人，现在我被人忽视，变得粗野，在人们眼里变得很可疑。就算我在这样痛苦的转变中获得了一些无法看见、无法言说的东西——我也得为此付出很大的代价，我的生活一次次变得更艰辛、更困难、更孤独、更受到危害。确实，我没理由希望继续走这条路，它把我引到越来越稀薄的空气中，像尼采《秋歌》里的烟雾一样。

　　是的，我熟悉这种体验，这种转变，命运的孩子们令人操心，最难应付，他们命里注定要有这些体验与转变，我太熟悉它们了，熟悉得就像一个雄心勃勃却毫无收获的猎人熟悉狩猎的各个阶段一样，像一个交易所投资老手熟悉投机买卖、赢利、没把握、犹豫不决、破产的各个阶段一样。我真应该把所有这一切再经历一番吗？这些折磨，这些穷困潦倒，认识到自己的"我"卑贱、无用，对被击败怀有可怕的恐惧，这些巨大的恐惧。避免重复这么多的痛苦、溜之大吉难道不是更聪明、更简单吗？诚然，这样做是更简单更聪明。不管在荒原狼的小册子里对"自杀者"下的论断怎样，没人能剥夺我用煤气、刮胡刀或手枪来省去重演这个过程的乐趣，这个过程的巨大痛苦我曾经不得不品尝，真的品尝得够多够深的了。不，见鬼去吧，世上没任何力量可以要求我再次面对这样的恐惧，再次重新塑造，重新化为人，化为人的目的与结局不是什么平和与安宁，而只是不断地自我毁灭，不断地自我重塑！哪怕自杀是愚蠢的、胆怯的、卑劣的，哪怕它是不光彩的、可耻的紧急出口——只要能逃出这痛苦的磨坊，每个出口都是人们衷心渴望的，哪怕是最可耻的出口。这里不再上演高尚与英雄气概的戏，这里我面对的选择很简单，要么要暂时的小痛，要么要难以想象的无穷无尽的巨痛。我在我如此艰难、如此癫狂的生活中做高贵的堂吉诃德做得够多了，我总是拒绝惬意而选择荣誉，摒弃理性而选择英雄气概。够了，结束这一切！

当我最终上床时，清晨已透过窗玻璃打哈欠了，是一个冬日雨天乌云密布的该死的清晨。我上床时决心已下。可入睡的瞬间从最远处，在意识的最后边界，荒原狼小册子中那个奇怪的段落在我面前倏忽闪了一下，是有关"不朽之人"的那一段，由此我一下子想起，有几次，就在前不久，我还曾觉得离不朽之人够近的，能按着古老音乐的节拍一起品尝不朽之人的智慧，它是完全清凉的、清澈的、生硬微笑的。现在它出现了，闪着光，又熄灭了，睡眠像座山似的沉重地压到我额头上。

将近中午我才醒来，立刻又在自己身上重新找回已澄清的状态，小册子放在床头柜上，还有我的诗，我的决心友好地、冷漠地从我最近生活的杂乱中望着我，它在睡眠中一夜之间变得丰满结实了。不需着急，我的死意不是心血来潮的念头，它是成熟的、结实的果实，它慢慢长成，变得沉甸甸的，在命运的风中轻轻摇曳，再一阵风肯定就会让它掉下。

我的旅行药箱里备着一种很棒的止痛药，一种特别强烈的鸦片制剂，只是我很少服用，常常几个月不吃；我只有在身体的疼痛把我折磨得无法忍受时才服用这种麻醉性很强的药。可惜它不适合用于自杀，多年前我曾试过。当时在绝望再次笼罩我时我吞下一大把，足够毒死六个人的，可它没毒死我。当时我虽然睡着了，几小时处于完全麻醉的状态，可令我极为失望的是，因胃剧烈的痉挛我变得似醒非醒，在没完全清醒的状态下把全部毒药吐了出来，然后再次入睡，第二天中午才彻底醒来，清醒得可怕，脑子烧坏了，空空的，差不多完全丧失了记忆。除了有段时间失眠和胃疼难受外，毒药没留什么后遗症。

那就不考虑这种药了。我赋予我的决心以这样的形式：一旦我的状况又到了得吃鸦片制剂的地步，那么就应该允许我津津有味地慢饮大的拯救——死亡，而不要这短暂的拯救，而且一定死，保证死，用子弹或刮胡刀。这样一来情况就明了了——等到我五十岁生日那天，按荒原狼小册子里提供的有趣方子做，可这在我看来时间太长了，到那时还有两年呢。总之，无论是一年后还是一个月后，无论是不是明天就发生——门已敞开。

我不能说"决心"大大改变了我的生活，它只是让我对疾苦更无所谓一些，让我以鸦片佐酒时更无忧无虑一些，让我对忍耐度更好奇一些，仅此而已。那天晚上别的经历起的作用要大许多。关于荒原狼的论文我还时常通读，有时全神贯注地读，感激地读，仿佛我知道有个隐身魔术师明智地引导着我的命运，有时我对论文的冷静抱着嘲讽与鄙视的态度，论文在我看来好像根本没理解我生活的特殊氛围和张力。论文就荒原狼与自杀者所写的内容可能很好、很明智，适用于这类人，这种类型，是有见地的抽象思维。而我本人、我真正的灵魂、我自己唯一独有的命运在我看来毕竟不能用粗网一网打尽。

但比起其他所有事，让我思考更深的是教堂墙上出现的那种幻景以及那些舞动的灯光字样孕育着的关于希望的昭示，它与论文的含义是一致的。那里所看到的向我预示了许多东西，那个陌生世界的声音大大挑起了我的好奇心，我常常几小时完全沉浸在对此问题的思考中。这时候那些字样越发清晰地对我发出了警告："不可人人入内！""只为疯人！"就是说我要是想听见那些声音，听到那些生活领域要对我说些什么，那么就得发疯且与"人人"离得远远的。天哪，难道我不是早就离"人人"的生活、离普通人的生存与思维够远的了吗？我不是早就完全脱离大众、变成疯人了吗？然而我在内心最深处很明白那个呼唤：要求人们发疯，要求人们抛弃理性、顾虑和市民性，要求人们沉迷于灵魂与幻想泛滥且无法无天的世界。

有一天，我再次徒然地走过大街与广场寻找那个扛海报杆子的男子，几次三番走过有着隐形大门的墙，暗中守候着，之后我在马丁郊区遇到送葬队伍。我观察着慢腾腾走在灵车后的送葬人的脸，这时我就想：在这座城市，在这世上，其死亡对我来说会是个损失的人在哪里呢？我的死对他来说可能意味着什么的人又在哪里呢？虽然埃里卡，我的情人是这个人，可长久以来我们的关系淡薄了，我们见面很少有不吵架的时候，目前我连她在哪儿都不知道。有时她到我这儿来有时我去她那儿，因为我们俩都孤独都难处，在灵魂某处、在心理疾病上彼此近似，所以尽管问题种种，我们之间仍有联系。可要是她知道我死讯时，难道不会出口气并感到如释重负吗？我不知道，也一点不清楚我自己的感觉可不可靠，能知道这些事情就得生活在普通与可能的事物中。

此时我心血来潮加入到出殡行列中，快步走在送葬人后面，跟着来到墓园，一处现代化的水泥制的专利墓园，有火葬场，设备齐全。可我们的死者没被火葬，他的棺材在一个简单的土坑前被放了下来，我看着牧师、其余的吸血鬼和殡仪馆的职员们工作，他们想让他们的工作看上去十分庄严、悲伤，结果因纯粹的做戏、尴尬和虚假而过于紧张，变得滑稽可笑，我看到他们身上的黑色职业装垂下，看到他们努力调动出殡人的情绪，迫使他们在死亡威严的面孔前跪下。可他们白费劲，没人哭丧，看来死者对所有人都是多余的。也没人能被说服表现出虔诚的情绪，当牧师一个劲儿地称在场的人"亲爱的基督信众"时，这些商人、面包师和他们的太太都垂下头，他们沉默的买卖人的脸都竭尽严肃，呆地低头看，显得尴尬虚伪，只有一个念头能打动他们，那就是这个不愉快的活动能快点结束。现在活动结束了，基督信众中最前边的两个人与演说者握了手，把给死人下葬时鞋上粘的泥土在附近草地边上蹭掉，脸立刻恢复往日的模样，变得有了人情味。忽然他们中的一张脸让我感觉好像见过，我觉得他就是那个扛海报、给我小册子的男子。

就在我以为认出他的那一刻，他转过身，弯下腰，在黑裤子上拨弄着什么，很费事地把鞋上方的裤子卷起，然后急匆匆地走了，腋下夹着一把雨伞。我在后边追，赶上了他，冲他点点头，可他好像并没认出我。

"今天晚上没有娱乐活动了吗？"我问道，试着冲他眨眨眼，就像知道秘密的人之间通常做的那样，可这是太久以前的事儿，自从我熟悉这些表情练习后，在生活方式上倒是差不多不会说话了；我自己觉得只会愚蠢地做鬼脸。

"晚上的娱乐活动？"男子嘟囔着，异样地看着我的脸。"如果你有这个需求，去黑鹰[1]呀，真是的。"

我确实不知道是不是他。我失望地继续走，不知道去哪儿，我没目标，没志向，没义务。生活苦得够呛，我感到长久以来加剧的厌恶感达到了顶峰，生活丢弃、抛弃了我。我恼怒地穿过灰蒙蒙的城市，在我看来一切都散发着潮湿的泥土与墓穴的味道。不，不能让这些晦气鸟中任何一只站在我的墓穴旁，穿着长袍，发出多愁善感的、仿佛基督同道的喊喳声！唉，不管我往哪儿瞧，不管我思绪到哪儿，都没有欢乐等着我，没有对我的呼唤，哪也感觉不到吸引力，一切都臭气熏天，有腐朽的污浊味，有腐朽的半满足感的味道，一切都是陈旧的、凋谢的、灰色的、懒散的、精疲力竭的。天哪！这怎么可能？我怎么会到了这种地步？我可曾是有灵感的小青年、诗人、缪斯之友、周

---

1 一家酒馆的名称。

.85

游世界的人、热情似火的理想主义者。而现在的我麻木，憎恨自己，憎恨所有人，所有的情感都阻塞了，恼羞成怒，心灵空虚，处在醍醐的地狱中，绝望，这些是如何逐渐地、慢慢地在我身上滋生的呢？

当我走过图书馆时遇到一个年轻教授，我以前曾常和他交谈，几年前我最后在这座城市逗留时甚至多次到他家拜访，和他聊东方神话，当时我在这个领域里进行了许多研究。学者迎面走来，表情僵硬，有点近视，我已准备从他身边走过时他认出了我，极热情地向我奔来，而心情糟透的我对此多少心存感激。他很高兴，话多了起来，让我回想我们以前聊天的细节，信誓旦旦地说他十分感谢我的启迪，并且常常想起我；说他打那时起很少和同事有这样热烈并有成效的讨论了。他问我从什么时候起就待在这个城市了（我谎称几天），又问我为什么不去拜访他。我看着彬彬有礼的男子那博学端正的脸，觉得情景真的很可笑，可还是像一条饿急的狗似的享受着一小口暖意，一丁点爱意，一小块赞许。荒原狼哈里感动得直冷笑，馋得连干燥的咽喉里的口水都快流出来了，多愁善感又一次违背他的意愿，让他折了腰。于是我急忙用谎话为自己开脱，说我只是暂留此地，为了研究，并且感到身体也不是很好，否则我当然会去拜访他。当他热情邀我当晚就到他家去时，我感激地答应了，请他问他太太好。在此过程中我一个劲儿地说笑，脸都疼了，因为脸已不习惯这样劳顿了。我，哈里·哈勒尔站在大街上，很惊讶，受到奉承，很客气、很殷勤，对着和蔼的男子那近视而可亲的脸微笑，而另一个哈里则站在一旁，冷笑着，心想，我到底是怎样一个奇怪的、疯疯癫癫的、虚伪的老兄呀，我两分钟前还愤怒地切齿痛恨整个该死的世界呢，现在受人尊敬的老实人初次向我打招呼，初次和善地向我问候就让我感动了，我还忙不迭地同意了一切，在享受一点友好、尊重与客气时像一头猪仔一样快乐地打滚。就这样两个哈里，两个极其讨人厌的人，与彬彬有礼的教授面对面站着，自己彼此嘲笑，彼此观察，互吐唾沫，又像在这种情况下一贯做的那样相互问道：是否这就是人的愚蠢与软弱呢？是人普遍的命运吗？还是这种多愁善感的自私、这种薄弱的意志、这种感情的不真诚与矛盾只是个人的、荒原狼式的专长？如果人普遍都这么卑鄙，那么我可以再次狠狠地鄙视世界；如果这只是我个人的弱点，那么我有理由狠狠地鄙视自己。

两个哈里之间净争斗了，几乎把教授忘了；他突然又让我讨厌起来，我赶紧摆脱他。我长久地目送他迈着理想主义者、一个信教者耐心而有点滑稽的步伐，在光秃秃的林荫大道上离去。我内心展开了激战。我机械地弯了弯僵硬的手指，又伸直，与隐隐难受的痛风抗争着，这时我不得不承认我让人骗了，现在把所有客套的义务、科学的废话和观赏陌生人的家庭幸福连同七点半吃晚饭的邀请一道都套在自己脖子上了。我生气地回到家，把白兰地酒与水兑在一起，就着它吞下痛风药，躺到长沙发上想读点书。当我终于能读一会儿《索芬从梅梅尔到萨克森的旅行》——一本令人喜欢的18世纪闲书时，忽然又想起受邀之事，我还没刮胡子呢，得穿好衣服。天晓得我为什么给自己找这些麻烦！好了，哈里，起身吧，把书扔一边，用肥皂洗洗身，把你的下巴刮出血吧，穿好衣服，到别人那儿找乐子去吧！我边洗边想着墓园里肮脏的土坑，今天人们用绳子把那个不认识的人放了下去，想起那些感到无聊的基督同道们紧绷着的脸，我对此笑都笑不出来。我觉得在那个肮脏的土坑旁，在传教士说尴尬的蠢话时，在送葬人群做出尴尬而愚蠢的表情时，在伤心地看到所有铁皮与大理石做的十字架和墓碑时，在所有假的钢丝花和玻璃花簇拥下，那里不仅不知名的那个人完了，不仅明天或后天我也在那里结束，在那里被掩埋，在送葬人的尴尬与虚伪中被放进醒鼱中，而且所有的一切都将这样结束，我们所有的追求，我们所有的文化，我们所有的信仰，我们所有的人生喜悦与人生乐趣都病得不轻，不久也会在那里被埋葬。墓园是我们的文化世界，这里耶稣基督和苏格拉底，莫扎特和海顿，但丁和歌德还只是生锈的铁皮墓碑上黯淡无光的名字，四周是尴尬而虚伪的悼念者，如果他们还能相信对他们来说曾是神圣的墓碑的话，那么他们早就做出更多努力了，哪怕只说句正直而严肃的悲伤话和对这个消亡的世界感到绝望的话，可他们什么都不做，只是尴尬地、冷笑着站在墓穴旁。我气愤之下又把下巴上的老地方刮破了，伤口一阵烧灼，可还得把刚穿上的新领子换下，完全不知道为什么做这一切，因为我没一点兴趣赴约。可哈里的一部分又做戏了，称教授是叫人有好感的家伙，他渴望有一点人间烟火、闲聊和社交，想起教授漂亮的太太，我觉得在客气的主人那儿度过一晚毕竟叫人很兴奋，于是帮自己在下巴上贴了一块英国膏药，帮自己穿好衣服，戴上一条像样的领带，温和地劝自己不要遵从原本的念头待在家里。与此同时我在想：我现在穿衣出门拜访教授，相互说些或多或少编出来的恭维话，一切都不是心甘情愿的，大部分人和我一样也是这么做、这么生活、这么行事的，日复一日，一小时又一小时，是被迫的、不情愿的，他们去拜访、聊天，他们在办公室坐着消磨时间，一切都是被迫的、机械的、不情愿的，一切本可以由机器来做，同样做得好，或干脆别做；是这种永远延续的机械性阻碍了他们，像阻碍我一样，阻碍了批判自己的生活，阻碍了认识并感到生活的愚蠢与肤浅、它可憎地发出冷笑的坏名声、它无可救药的悲哀与无聊。噢，他们有道理，绝对有道理，人们，他们就这样生活，他们玩着小把戏并忙着他们认为重要的事情，而不是与让人忧郁的机械性抗争，不像我这个思想出轨的人这样绝望地朝着空虚呆望。就算我有时在这几页纸上鄙视、嘲讽人们，也不会有人因此而以为我把责任推给他们，认为我在指责他们，想让别人对我个人的不幸负责！可我，我已经走了很远，走到了生活边缘，这里生活陷入一片漆黑，这样的我如果还想自欺欺人，还想说那种机械性对我还在起作用，好像我还属于那可爱单纯的世界，永远游戏的世界，那么我这样做就不对了，那么我就是在说谎！

那天晚上天气很不错。我在熟人屋前站了一会儿，往上边的窗子望去。那里住着的这个男人，我想，他年复一年地从事他的工作，读书，写评论，找出西亚与印度神话之间的关联，真是乐此不疲，因为他相信他工作的价值，他相信科学，他是科学的仆人，相信纯粹知识与积累的价值，因为他相信进步，相信发展。他没经历过战争，没经历迄今为止的思想根基被爱因斯坦撼动的事实（他想，这只和数学家有关），一点没看到他身边的人正准备打一场战争，他认为犹太人与共产党人都可憎，他是一个没思想的、愉快的、自以为是的好孩子，他太让人羡慕了。我强打起精神，走了进去，一个围着白围裙的女佣迎接了我，不知出于什么预感我牢记了她把我帽子和大衣挂起的地方，我被带进一间暖和明亮的房间，她请我等等，我没祈祷也没闭目养神一会儿，而是出于玩心随手拿起附近看到的物件。这是一幅镶框的小肖像，立在圆桌上，一个硬的活动纸板支撑着使它斜立。这是一幅铜版画，画的是诗人歌德，一个很独特、粉饰得很完美的老者，他脸部塑造得很好，既不缺少他著名的炯炯有神的眼睛[1]，也不缺少宫廷大臣略加掩饰的孤独与悲情的特征，艺术家在表现孤独与悲情上用功堪深。他成功地在无损于歌德深度的情况下，

---

[1] 可能指约瑟夫·卡尔·施蒂勒画的歌德眼睛，施蒂勒的这幅画是迄今为止最为著名的歌德画像。

刻画出这个有魔力的老人的特征——沉着，老实，有些教授风度，也有点表演成分，总的说来，他成功地塑造了一位真正年老的美男子，这样的画可以用来美化每个市民的家。估计这幅画与所有这类画一样愚蠢，所有这些由勤劳的手工艺人制作的可爱的救世主、耶稣使徒、英雄、思想英雄和政治家都是这样。也许它只因某种高超的画技让我这样恼火；我光火生气已够多的了，这幅画还这样自负地、沾沾自喜地表现年老的歌德，不管怎么说这样的表现就是与我喊出的不幸不相和谐之音，它向我表明，我不是这里的人。待在这里的是以美的风格表现出的巨匠和民族伟人，而不是荒原狼们。

要是现在男主人进来的话，我也许就能找个可接受的借口折回了。可他太太进来了，我认命了，虽然我预感会有不幸发生。我们彼此问候，有了初次的不和谐之音，后面的不和谐之音接踵而来。太太夸我看上去很好，而我太清楚地知道自打我们最近一次见面以来，我在这几年里老了许多，跟她握手时我痛风的手指的疼痛让我不幸地想到这一点。然后她问我可爱的太太身体可好，我不得不告诉她我太太已离开我，我们离婚了。当教授进来时我们很高兴。他也热情地问候我，然而场面的尴尬与滑稽马上就再好不过地表现出来了。他手里拿着一张报纸，他订的报，报纸为军国主义分子组成的党和战争煽动分子组成的党所办，他跟我握手后，指着报纸说，报上有些关于一个时事评论家哈勒尔的消息，这人和我同姓，一定是个可恶的、没有祖国的家伙，因为他取笑皇帝，亮出自己的观点说他的祖国在战争形成问题上和所有敌对国一样负有责任。这该是怎样一个家伙呀！你看，这个家伙在这儿得到了回复，编辑部相当果断地处理了这个害群之马，公开对他进行了谴责。可当他看到我对这个话题不感兴趣时便换了话题，他俩真的一点没想到那个恶棍可能就坐在他们面前，事实上那个恶棍就是我自己。唉，何必喧嚷让人家不安呢！我偷偷笑了，可现在对这个晚上能经历什么好事儿不抱希望了。这一刻我清楚地记得，就是在这一刻，当教授说起祖国的叛徒哈勒尔时，我心中糟糕的沮丧与绝望感更厉害了，自打看到下葬情景后，这种感觉就在我心中堆积，越来越强烈，变成巨大的压力，变成身体（下身）感觉得到的窘迫，变成一种惊恐万分、令人透不过气来的命运感。我感到有什么东西在伺机暗算我，危险从背后向我袭来。幸好现在来人说饭已准备妥当。我们走进饭厅，我吃饭时总想尽力说点什么无关紧要的事儿或问点什么，比平常吃得多，可越来越感到自己可悲。天哪，我一直在想，我们这么费劲究竟为什么？我清楚地感到主人们也一点没感到舒服，他们的活跃很勉强，不管是因为我给人的印象这么呆滞，还是通常他们家里的情绪就不佳。他们问我的事情我无法坦诚回答，不久我就谎话连篇了，每说一句话都克制着恶心。最终我为了转移话题开始讲我今天看到的葬礼。可我说话的语气不对，刚开始幽默就让人扫兴，我们彼此越来越疏远，荒原狼冷笑着露出牙齿，在我内心笑，吃饭后点心时我们三个人都沉默无语。

我们回到刚才那个房间喝咖啡和酒，也许这会使我们的状况稍微好转。可这时诗人翘楚又引起我的注意，虽然他的画像放在边上的五斗橱上。我没法摆脱他，并非没听到我心中的警告，我又拿起他，开始琢磨起来。我只有一种感觉，就是这种状况忍无可忍，现在要么我得把东道主争取过来，说服他们，让他们顺着我说，要么索性彻底地引发爆炸。

"希望，"我说，"歌德实际长的不是这样！您瞧这种虚荣劲儿，这种高雅的姿势，这种与尊敬的各位眉来眼去的威严，瞧他表面阳刚，内心却是多愁善感！人们可以对他有许多不满，我也常对这个装模作样的老者有许多不满，可这样表现他，不，这太过分了。"

家庭主妇面部表情很痛苦，她斟满了咖啡，然后急忙走出房间，她丈夫半是尴尬、半是责备地向我吐露说，这幅歌德画像是他太太的，她特别喜欢。"就算您客观上说得有道理——我当然否认这一点——您也不该说得这么直接。"

"您说得对，"我承认道，"遗憾的是我总是尽可能说得干脆，这是我的习惯，一种恶习，此外歌德在他的好时光里也是这样做的。当然，这个甜美的、市侩的沙龙里的歌德永远不会干脆、真诚、直接表达的。恳请您和您太太原谅我，请告诉她我是精神分裂症患者。同时请允许我告辞。"

尴尬的主人虽然还提出些异议，但也再次提到我们以前的切磋有多么好，多么有启发，是的，还说当时我对密特拉[1]和克里希纳神[2]的推测给他留下了深刻的印象，他希望今天再……我对他表示感谢后说，这话太客气了，可遗憾的是我完全失去了对克里希纳神的兴趣，同样也对进行科学的对话全然没了兴趣，我今天多次对他说了谎，比如

1　一个古老的印度—伊朗神祇。
2　被认为是毗湿奴神的化身。

我在这座城里不是待了几天，而是几个月了，可我独自一人生活，不再适合与好人家交往，因为，其一，我心情总是很不好，患有痛风病，其二，我大多数时候都是醉醺醺的；此外，为了澄清事实，至少不作为说谎者离开这里，我必须向尊敬的先生挑明他今天严重伤害了我；他采纳了反动报纸对哈勒尔观点所采取的态度，这种愚昧而固执的态度是一个无业军官，而不是一个学者应有的。我还告诉他，这"家伙"，这个没祖国的家伙哈勒尔正是我，如果至少有几个有思维能力的人信奉理性，爱好和平，而不是盲目地、着魔似的走向新的战争，那么我们的国家，我们的世界会好得多。就这样吧，告辞了。

于是我起身与"歌德"和教授告别，在外面把我的衣服从衣钩上扯下，逃走了。我灵魂中幸灾乐祸的狼大声嗥叫，一出大戏在两个哈里之间上演。而且我马上清楚了一点：晚上这不愉快的一小时对我的意义要比对尴尬的教授大得多，对他而言这一小时是失望，是小小的不快，可对我而言它是最后的失败与逃跑，是我向市民的、有道德的、有学问的社会领域的告别，又是荒原狼的彻底胜利。这是一次作为逃亡者与失败者的告别，是在我自己面前宣布破产，是没有慰藉、没有优势、没有幽默的告别。我曾与我以前的世界和故土、市民性、习俗与博学告别，这种告别和一个得了胃溃疡的男子与烤肉告别没什么不同。我气愤地在路灯下疾走，气愤不已，伤心不已。这是怎样的一天啊，毫无希望，丢脸，糟糕——从早上到晚上，从墓园到教授家的场景！为什么？为什么？再继续承受这样的日子有意义吗？再继续自作自受有意义吗？没有！今夜我就会结束这出滑稽戏。回家去，哈里，割断你的喉咙！你这样等的时间够长的了。

我在大街上徘徊，满心愁闷。当然我对好人们的沙龙装饰品吐唾沫很愚蠢，是我无知，没教养，可我不能，一点不能有别的举动，不能再忍受这种温顺的、虚假的、规矩的生活了。另一方面，看来我也不能再忍受孤独了，我自己的交际圈让我痛恨无比，让我厌恶，我在地狱的没有空气的房间里挣扎，快窒息了，还有什么出路呢？没了。啊，父亲，啊，母亲，啊，我那远去的一腔的青春激情，啊，我生命的万千喜悦、劳作与目标！所有这一切什么也没给我留下，连懊悔都没有，只剩下厌恶与疼痛。我觉得仅为活着而不得不活着从来没像此刻这样令人伤心！

在城郊一家荒凉的酒馆里我休息了一下，喝了水与白兰地，然后继续走，被魔鬼驱赶着，在老城那地势陡峭的曲巷里徘徊，走过林荫道和火车站广场。外出旅行！我这样想，走进火车站，盯着墙上的时刻表看，因为喝了点酒，所以努力试着思考一下。我看见鬼越来越近，越来越清晰，我怕它，它是来催我回家，催我回到我的小屋，它是要我在绝望面前忍耐！哪怕我再这么乱走多时，也逃脱不了它，逃脱不了返回家门，返回堆放书的书桌旁，返回上面挂着我情人照片的长沙发上，逃脱不了不得不磨快刮胡刀然后割喉的时刻。这个画面在我面前展开，越来越清晰，我心跳加速，我感到了恐惧之最——对死亡的恐惧！是的，我非常惧怕死亡。虽然我看不到其他出路，虽然厌恶、痛苦和绝望在我周围堆积如山，虽然没任何东西能吸引我，给我带来快乐与希望，我还是极怕绞刑，怕最后的时刻，怕冷冰冰地、皮开肉绽地割自己的肉！

我看不到逃脱可怕之事的路。就算今天在绝望与胆怯之斗争中胆怯胜了，可绝望明天、每天也会重新出现在我面前，它会因为我的自我鄙视而加剧。那样的话我会不断把刀拿起，再放下，直到最终走那一步。那么最好今天解决吧！我理智地劝说自己，就像劝说一个被吓着的孩子，可孩子不听，跑掉了，他想活。有什么东西猛一下拽着我继续穿过城市，我在家周围绕大圈子，总在回家，可总拖延。有时我待在一家酒馆里，待上喝一两杯酒的工夫，然后什么东西继续驱赶着我，在目的地周围兜大圈，围着刮胡刀兜大圈，围着死亡兜大圈。我累得要死，不时在长椅上、喷水池沿上或墙角石上坐一会儿，听着心跳，擦掉额头上的汗，然后又继续前行，充满极大的恐惧，充满着对生命的炽热渴望。

就这样有什么东西引我走进一家酒店，在深夜，在我不太熟悉的偏僻郊外的某处，酒店窗后响起热烈的舞曲。我进去时看到大门上方有块旧的店招牌："黑鹰"。里面通宵营业，人声鼎沸，充满烟雾、酒臭与叫喊，后面大厅里人们在跳舞，舞曲劲爆。我待在前面房间里，这里的人全都是平民百姓，部分人穿得寒酸，而后面的舞厅里也能看到穿着光鲜的人。我被拥挤的人群推搡着穿过房间，被挤到吧台旁一张桌子边，一个漂亮而苍白的姑娘坐在靠墙的长凳上，穿着领口开得很低的薄舞裙，头上插着干花。当姑娘看到我进来时专注、友好地望着我，笑着往旁边挪一挪给我腾出位子。

"可以坐吗？"我问道，坐到她旁边。

"当然，你可以坐，"她说，"你这是？"

"谢谢，"我说，"我根本无法回家，我不能，我不能，如果您允许的话，我想待在这儿，待在您身边。不，我不能回家。"

她点点头，好像明白我的意思。她点头时我观察她的鬈发，鬈发拢到耳后。我看到头上枯萎的花是山茶花。从那边传来很响的音乐声，吧台前女招待员们忙着唱菜名。

"那就待在这儿。"她说，她的声音让我很舒服。"你为什么不能回家呢？"

"我不能。家里有什么东西在等我——不，我不能，太可怕了。"

"那就让它等吧，你留在这儿。来，先擦擦你的眼镜，你根本看不见什么东西。来，给我手绢。我们喝什么好呢？勃艮第葡萄酒？"

她给我擦眼镜；现在我才看清她，脸苍白，紧绷绷的，嘴唇涂得鲜红，灰眼睛明亮，额头光滑清爽，耳旁垂着简洁的短鬈发。她善意地、有点嘲弄地关心我，点了酒，与我碰杯，边碰杯边往下看我的鞋。

"我的天哪，你这是从哪里来的呀？你看上去像是从巴黎走到这儿的。哪能这样子参加舞会！"

我不置可否，笑了笑，让她说去。我很喜欢她，对此我感到奇怪，因为这样的年轻姑娘至今我总是躲着，更多的是以不信任的态度对她们。而她待我的态度眼下正对我有益——噢，自此她也就时时这样待我了。她这样体谅待我正是我需要的，这样嘲弄我正是我需要的。她点了一个夹心面包，命令我吃。她给我斟酒，叫我喝一口，但不要太急。然后她夸我听话。

"你真乖，"她鼓励我说，"你不给别人添麻烦。我们打赌吧：你最后一次非听别人的话到现在已很久了，对吧？"

"对，您赢了。您是怎么知道的？"

"不算什么本事。听话像吃喝一样——人长时间没吃没喝就觉得吃喝最重要。不是吗？你愿意听我的吧？"

"很乐意。您什么都知道。"

"你挺省事的。也许，朋友，我也可以告诉你在家等你的是什么，你对什么这么害怕。可你自己也知道这一点，我们不必说了，好吧？胡说八道！人要么上吊，好呀，那就上吊好了，他或许有理由这样做。要么他还活着，那他就得关注生命。再简单不过了。"

"噢，"我喊道，"要是这么简单就好了！让上天做证，我对生命关注得够多了，一点用都没有。上吊也许难，我不知道。但活着要困难许多许多！天知道有多难！"

"好了，你会看到这是小儿科。我们已开了头，你擦了眼镜，也吃了，喝了。现在我们去把你的裤子和鞋稍微刷一刷，得刷了。然后你跟我跳个西迷舞[1]。"

"您瞧，"我忙不迭地叫道，"我说得没错吧！没什么比不能听从您的吩咐更令我遗憾的了，可这个命令我不能执行，我不会跳西迷舞，也不会华尔兹，不会波尔卡，随便这些东西叫什么，一生中我从来没学过跳舞。您现在看到了吧？不像您以为的那样什么都这么简单。"

漂亮姑娘那鲜红的嘴唇微微一咧，她摇了摇她那硬邦邦、剪得像男孩的头。在我看她时，总觉得她像罗莎·克赖斯勒，我小时候爱上的第一个姑娘，可她的头发是浅褐色的、黑色的。不是，我不知道这个陌生的姑娘让我想起谁，我只知道与我青春年少、孩童时代有关。

"且慢，"她喊道，"且慢！就是说你不会跳舞？一点不会？连一步舞都不会？而你却声称：天知道我对生活做了多少努力！那你可扯谎了，年轻人，你这把年纪的人不应再这样做了。是啊，如果你舞都不想跳，怎么能说对生活做了努力了呢？"

---

1 一种爵士舞。

"我真的不会！我从来没学过。"

她笑了。

"但你学过认字写字，对吧，还有算数，大概还学过拉丁文、法文之类的东西吧？我敢打赌，你上学上了十年或十二年，可能还在哪儿上过大学，甚至也许还有博士头衔，会汉语或西班牙语。不是吗？嗯。可你却没花点时间和金钱学几小时舞蹈！哼！"

"是我父母，"我辩解说，"他们让我学拉丁文、希腊语等乱七八糟的东西。可他们没让我学跳舞，我们那儿不流行这个，我父母他们自己也从来没跳过。"

她冷冰冰地看着我，很鄙视的样子，她脸上显现出的表情又让我想起青年时代。

"是这样啊，就是说你父母得负责！你也问他们今晚是否允许你来'黑鹰'了吗？问了吗？你说他们早都死了？你瞧，是这样吧！你年轻时竟纯粹因听话而不想学跳舞——就算是吧！虽然我不相信你当时是这样一个模范孩子——可后来呢？你后来这些年究竟都搞什么了？"

"唉，"我坦承道，"我自己也不知道。我上过大学，搞过音乐，读过书，写过书，旅过游。"

"你对生活的看法好奇怪！这么说你一直搞难的、复杂的东西，简单的东西你根本没学过？是没时间吗？没兴趣？随便吧，谢天谢地我不是你母亲。可你做得好像把生活都尝遍了似的，觉得生活没什么意思，不行，这样不行！"

"别骂了！"我请求说，"我知道我疯了。"

"算了吧，少在我面前来这一套。你一点没疯，教授先生，在我看来你甚至疯得还不够！在我看来你真的像教授一样以愚蠢的方式做聪明人。来吧，再吃个小面包！然后再继续讲。"

她又给我要了一个小面包，蘸了点盐，在上面抹了点芥末，给她自己切下一小块，其余的叫我吃。我吃了。她让我干什么都行，除了跳舞。听别人的调教、坐在别人旁边太惬意了：她盘问你，命令你，责骂你。如果几小时前那位教授或他太太这么做的话，会给我省去许多麻烦。不，这样很好，否则我岂不错过许多东西！

"你到底叫什么？"她突然问。

"哈里。"

"哈里？男孩名！你也确实是个男孩，哈里，虽然有几根白发。你是个男孩，你该有个人稍微照顾你一下。我再也不说跳舞了。可你的头发梳理成什么样子！你难道没太太，没心上人吗？”

“我没太太了，我们离婚了。是有心上人，可她不住这里，我很少见到她，我们彼此合不来。”

她轻轻地从牙缝里发出嘘声。

“看来你是个相当难处的先生，没人留在你身边。那么现在告诉我：今天晚上到底发生了什么特别的事儿，让你这样丢了魂似的满世界跑？吵架了？赌钱输了？”

很难说。

“您知道吗，”我开始说，“其实是小事一桩。我受邀到一个教授家——可我本人不是教授——做客，本来就不该去，我已不习惯在别人家坐着闲聊，已不会这些了。我已走进房子，感到会大事不妙——当我挂帽子时已想到也许马上又需要它。嗯，就是说在这个教授家，桌上放着一幅画，一幅蠢画，让我生气……”

“什么样的画？为什么让你生气？”她打断了我。

“嗯，是一幅歌德的画像，您知道，诗人歌德。可画上的歌德不是他真正的样子——他长得什么样人们根本不清楚，他死百年了——而是某个现代画家凭自己的想象对歌德进行粉饰，这画像让我生气，让我讨厌透顶——我不知道您是否明白？”

"我非常明白，别担心，继续讲！"

"之前我就和教授意见不一。几乎和所有教授一样，他是个伟大的爱国主义者，战争中竭力帮衬政府欺骗人民——当然最诚心诚意不过了。可我是反战者。算了，无所谓了。好吧，继续讲。我根本没必要看那幅画……"

"你当然不必了。"

"可第一，我为歌德感到遗憾，因为我十分，十分喜欢他，然后是，我想——我想或觉得是这样的：我与人们坐在一起，把他们看作同道，以为他们也像我一样喜欢歌德，对他的印象跟我的差不多，可他们把这么一幅没品位、歪曲的、涂脂抹粉的画像放在那里，还觉得挺美，根本没觉得这幅画的精神气完全与歌德的相反。他们觉得画很棒，随他们的便，他们当然可以这样认为——但对我来说，我对这些人的所有信任、对他们的所有友情与休戚相关的感觉一下子都没了，都结束了。此外交情本来也不深。就这样我生气了，很伤心，您看我独自一人，没人理解我。您明白吗？"

"很容易明白，哈里。然后呢？你把画扔到他们脑袋上了吗？"

"没有，我骂了人，走掉了，我想回家，可……"

"可家里没妈妈来安慰或责骂傻孩子。好了，哈里，你都快让我同情你了，没有比你更傻的了。"

肯定的，我觉得我认识到这一点了。她给了我一杯酒，待我确实像个妈妈。可此时某些片刻我发现她是那么漂亮那么年轻。

"就是说，"她又开始说，"就是说歌德一百多年前就死了，哈里很喜欢他，对歌德可能长什么样他想象得特棒，哈里这样想象也有道理，对吧？可同样崇拜歌德并想象他是什么样的画家对此却没道理，教授也没有，别人都没道理，因为这不合哈里的意，他受不了这个，然后他得骂人，得逃走！如果他聪明的话，会索性取笑画家与教授。如果他疯了的话，会把他们的歌德砸到他们脸上。可因为他只不过是个小小子，于是就跑回家，想上吊——我完全明白你的事儿，哈里。这是一件让人发笑的事儿，真好笑。停一下，别喝这么快！勃艮第葡萄酒要慢慢喝，否则人会发热。什么都得教你，小小子。"

她目光严厉，有警戒作用，像爱训人的六十岁老妇人的目光。

"好呀，"我满意地请求说，"什么都教我吧。"

"应教你什么呢？"

"想教什么就教什么。"

"好吧，我教你点。第一点，你听我对你用'你'称呼有一小时了，可你仍用'您'称呼我。总是拉丁语和希腊语呀，总是要多复杂就多复杂！如果一个姑娘对你用'你'，而你又不讨厌她的话，那么你也该对她用'你'。好了，又学到点东西了吧。第二点，我知道你叫哈里，有半个小时了。我知道这一点，因为我问过你。可你不想知道我叫什么。"

"不，我很想知道。"

"太晚了，小小子！如果我们再见面你可以问。今天我不再说了。好了，现在我想跳舞了。"

因为她的表情是要起身，我的情绪一下子低沉了，我怕她走，扔下我一人，这样一来一切又恢复原样。像牙痛暂时消失后突然又痛，痛得火烧火燎一样，恐惧与害怕一下子又来了。噢，天哪，难道我能忘记等待我的是什么吗？难道换了个样儿了吗？

"停下，"我恳求着喊道，"您别 —— 你别走！你当然可以尽情地跳舞，可别离开太久，还回来吧，还回来吧！"

她笑着站了起来。我想象中她站起来的个子应更高，她身材修长，可并不高。她又让我想到某个人——谁呢？想不起来。

"你还回来吗？"

"我还回来，但要有一会儿，半个小时或一个小时。我想对你说的是闭上眼睛睡一会儿，这是你需要的。"

我让开路，她走了。她的小裙子蹭到我膝盖，她边走边照圆镜，是放在手提包里超小的那种，挑起眉毛，用一小块粉扑扑扑下巴，然后消失在舞厅中。我四下看了看，到处是陌生人的脸、抽烟男人、洒在大理石桌上的啤酒和叫喊声与吱嘎声，还有舞曲。我应睡觉，她说，唉，好孩子，你知道我睡觉比黄鼠狼还易受惊！在这个"年货集市"上睡觉，坐在桌子旁，在碰得山响的啤酒杯之间；我抿着酒，从口袋掏出烟，四下找火柴，其实我对吸烟一点没兴趣，我把它放在面前的桌上。"闭上眼睛……"她对我说。天晓得这姑娘哪来的这种声音，这种有点低沉、好听的声音，慈母般的声音。听用这声音说的话很美，我体验过。我听话地闭上眼睛，头靠着墙，听到周围人声鼎沸，在这地方睡觉，想起来就好笑，决定走到大厅门那儿，往舞厅里瞄一眼——我怎么也得看看我那漂亮的姑娘跳舞。我在桌子下活动活动腿脚，现在才感到我四下乱走了几小时后很累很累，便坐在那儿没动窝。于是我睡了，遵从慈母般的命令，怀着感激之情酣睡，做梦，做的梦比好久以来做的梦都清晰、都美。我梦见：

我坐在一间旧式接待室里等待，最初只知道已向一个大臣通报了我的来访，后来想起要接见我的可是歌德先生。可惜我来这儿不是私访，而是作为一家杂志社的通讯员，我很讨厌这样，不明白中了什么邪而陷入这种局面。此外一只蝎子让我坐立不安，刚才还看得见它，它想往我腿上爬。我虽然对黑黑的小爬行动物进行了抵御，抖落了它，可不知道它现在躲到哪儿去了，我哪儿也不敢去抓。

他们是不是搞错了？是不是没向歌德而是向马蒂松[1]通报了我？我不是很有把握。可在梦中我把马蒂松与毕尔格[2]搞混了，因为我认为给莫莉的诗[3]是前者写的。此外与莫莉相见我是巴不得呢，我把她想象得很棒，心肠软，有音乐细胞，是个夜猫子。若我不是受那个该死的编辑部的委托来这儿该多好！我对这事儿越来越不满，不满的情绪也逐渐转移到歌德身上，我一下子对他有了种种疑虑与指责。

1　马蒂松（1761—1831），德国诗人。

2　毕尔格（1747—1794），德国诗人。

3　《献给莫莉的诗》为毕尔格所作。莫莉是毕尔格的小姨子，他们之间有恋情，也有个私生子。

这次谒见会有好戏看！就算蝎子很危险，也许还藏在离我最近的地方，但它也许并不那么糟糕；我觉得它也许意味着好事儿，这在我看来完全有可能意味着它与莫莉有点关系，是她的一种信使或是她纹章上的动物，是代表女性与罪孽的一个漂亮的、危险的纹章动物。动物难道不能叫符尔皮乌斯[1]吗？这时一个仆人用力打开了门，我起身走了进去。

老年歌德站在那儿，个子矮小，很死板。大文豪的胸前真真切切挂着一枚厚厚的星形勋章。看来他依旧在执政，依旧接见晋谒者，依旧在他的魏玛博物馆里掌控着世界。他刚看到我就点头，一下一下的像只老乌鸦，然后郑重地说道："你们年轻人，你们大概很少同意我们及我们的努力吧？"

"完全正确。"我说，被大臣的目光看得寒气入骨。"我们年轻人确实不同意您，老先生。您对我们来说过于郑重了，阁下，过于虚荣，过于自以为是，太不真诚。这点可能是本质所在：太不真诚。"

小个子老头把硬邦邦的头略微向前伸了伸，他那冷酷

1　歌德曾与一个名叫符尔皮乌斯的女子同居，后结婚。这里可能影射她。

的、煞有介事地皱起来的嘴松弛下来微微一笑，变得活泼可爱，这时我的心突然跳动加速，因我一下子想起了《黄昏从天而降》这首诗，诗句是这个人写的，是从这张嘴里说出来的。我的气此刻已全消，我被完全征服了，恨不得跪到他面前。可我仍站得笔直，听他微笑的嘴说道："哟，这么说您指责我不真诚？说的什么话呀！您不想进一步解释吗？"

我很愿意解释，很愿意。

"您，歌德先生，像所有伟人一样清楚地认识并感到了生活的疑惑与无望：瞬间的美妙及其快速的枯萎；情感达到美好高度所付出的代价只有一种可能性——过监狱般的日常生活；对精神王国有着炽热的渴望，对已丧失了的纯洁天性同样怀有炽热而神圣的爱，这两者永远进行殊死的斗争，在虚空与不确定中整个呈可怕的悬空状态；注定的短暂无常、永远不会充分有效，注定永远做着尝试性与半吊子式的事情——简单地说，就是人的存在完全没有希望，是胆大妄为，是极端的绝望。这一切您都知道，也时常承认这些问题，可您一生都在宣扬完全相反的东西，表达了信念与乐观主义，在自己与他人面前装出的样子好像我们精神上作出的努力可以持久，可以有意义。您拒绝并压制信奉深度探索的人，拒绝并压制绝望真理发出的声音，压制自己内心的以及克莱斯特[1]与贝多芬内心的真理的声音[2]。您几十年做样子好像您在积累知识与文集、写作与收集书信，好像您在魏玛的整个晚年的生存确实是条让瞬间变成永恒的路，其实您只能让这瞬间成为木乃伊；似乎是条让本性充满精神生活之路，其实您只能把本性点缀成面具。这就是我们责备您不真诚的地方。"

老枢密顾问若有所思地看着我的眼，他的嘴仍在笑。

然后他令我吃惊地问道："那么莫扎特的《魔笛》也许您很反感吧？"

还没等我反驳，他继续说："《魔笛》把生活表现为精湛的歌唱艺术，把我们本是无常的情感像永恒和神圣的东西一样歌颂，它既不同意克莱斯特先生也不同意贝多芬先生的意见，而是宣扬乐观主义与信念。"

"我知道，我知道！"我生气地叫道。"天晓得您怎么偏偏想到《魔笛》，这世上它是我的最爱！可莫扎特没活到八十二岁，不像您似的在他个人生活中对持久、秩序及死板的尊严提这种要求！他不这样装腔作势！他唱的是神

---

1 克莱斯特（1777—1811），德国戏剧家、小说家，在魏玛与歌德相识。
2 这里可能影射歌德与这两人之间不和谐的关系。

曲，他贫穷，早逝，穷困，被误解……"

我喘不过气了。现在有许多事儿得用十句话说完，我额头开始冒汗。

然而歌德说话很客气："您可能无论如何都无法饶恕我活到八十二岁。可我对长寿的乐趣要比您可能想的要小得多。您说得对：对经久不衰的强烈要求总萦绕在我心头，我始终怕死，与它抗争。我相信与死亡的斗争及要固执地活下去的愿望是动力，所有杰出人士的行动和生活都受这个动力驱使。但人终有一死，而我以八十二岁高龄，我年轻的朋友，最终证明了这一点，我如果当学生时就死同样也能证明这一点。如果有一点能为我辩解的话，那么我就要说：我本性中有许多天真的东西，有许多好奇心和玩心，有许多挥霍光阴的乐趣。现在我要说，我的确用了较长的时间才认识到总得有玩够的时候。"

说这番话时他很狡黠地微笑着，一副调皮样。他身材变高大了，僵硬的姿势以及脸上抽搐的尊严荡然无存。现在我们周围的空气里充满了旋律，全是歌德的歌，我清楚地听出来有莫扎特的《紫罗兰》[1]和舒伯特的"再次洒满

1　它是由歌德作词，莫扎特作曲。

树丛与山谷"[1]。歌德的脸现在呈玫瑰红色，很年轻，有了笑容，他一会儿像莫扎特，一会儿像舒伯特，就像胞兄一样，胸襟上的星形勋章全由野花编织而成，一枝金黄色的报春花从中绽放出来，他兴高采烈，脸胖嘟嘟的。

老人想以这种开玩笑的方式避开我的责问与谴责，这不太对我的口味，我看着他，满是责备的神情。这时他向前俯下身子，把他的嘴，他那完全变得孩子气的嘴紧贴到我的耳朵上，轻声细语对我耳语道："我的孩子，你太把老歌德当回事儿了。不必拿已死去的老人们当真，否则对他们不公。我们不朽之人不喜欢正经，我们喜欢玩笑。严肃，我的孩子，是时间的事儿。我想告诉你的是，严肃源于对时间的高估。我也曾过高地估计时间的价值，所以想活百岁。可在永恒里，你看到没，没有时间；永恒只是一瞬间，正好够开个玩笑。"

确实和这个男子没什么正经话可说，他愉快地、灵活地蹦来蹦去，一会儿让报春花像火箭一样从他勋章中射出，一会儿让它变小，消失。在他迈着舞步、摆着姿势而显得神采奕奕时，我不得不想这个男子至少没错过学跳

---

1 歌德《对月》中的诗句，该诗后由舒伯特、龙贝尔克等谱曲。

舞。他跳得真棒。这时我又想起蝎子，或更多的是莫莉，我冲着歌德喊道："请问，莫莉没在吗？"

歌德放声大笑。他走到桌旁，打开抽屉，拿出一只贵重的皮质或天鹅绒的盒子打开，举到我眼前。里面深色的天鹅绒上是条微小的女人腿，娇小，完美，闪光，一条迷人的腿，膝盖处有点弯曲，脚向下伸着，末端是尖尖的纤细脚趾。

我伸手想把娇小的腿拿过来，它让我萌生爱意，可正当我想用两指去抓时，玩具好像猛地微微一动，接着就连续动起来了，我突然怀疑这可能是蝎子。歌德好像明白这事，甚至要的就是这个，目的就是这个，要的就是我这种万分的尴尬，这种欲望与恐惧之间一闪而过的矛盾。他把迷人的小蝎子举到我脸前，看到我渴望得到它，看到我吓得向后退，看来这让他乐不可支。他用美妙而危险的东西逗我时又完全变老了，很老很老，有千岁，一头雪白的头发，干枯的老人嘴脸不出声地静静地笑着，偷偷地笑着，透出一股神秘莫测的老者幽默。

我醒来时梦境已忘，后来我才又想起它。我睡了大概有一小时，在音乐与闹声中，靠着饭桌，我向来都认为这是不可能的。可爱的姑娘站在我面前，一只手放在我肩上。

"给我两三马克，"她说，"我在那边吃了点东西。"

我把钱包递给她，她拿着走了，不一会儿又折回。

"好吧，现在我还可以在你这儿坐一小会儿，然后我得走，我有约会。"

我惊呆了。"跟谁呀？"我忙问。

"和一个先生，小哈里。他邀请我去音乐厅酒吧。"

"噢，我以为你不会把我一人丢在这儿呢。"

"那就得你请我了。有个人先你一步，好了，这样省你不少钱呢。你知道音乐厅吗？午夜以后只有香槟酒。安乐椅，黑人乐队，很棒。"

这一切我都没考虑过。

"哎，"我央求她说，"让我来请你吧！我认为这是很自然的事儿，我们毕竟是朋友了。让我请你吧，随便你想去哪儿，没问题。"

"你真好。可你瞧，说话就得算数啊，我已接受人家的邀请了，我要去了。别再费心思了！来，再喝一口，我们瓶子里还有酒呢，把它喝光，然后好好回家去睡觉。答应我。"

"不，跟你说，回家我不能。"

"真是的，你又来了！你和歌德的事儿还有完没完？（此时我又想起梦见歌德了。）可如果你真不能回家，那么就留在这栋房子里好了，这儿有客房。要我给你找一间吗？"

我对此满意，问在哪儿能再见到她。她住哪儿呢？她不告诉我。说我稍微找找就能找到她。

"我不能请你吗？"

"去哪儿？"

"你想去哪儿就去哪儿，想什么时候就什么时候。"

"好，星期二在老弗朗西斯卡饭馆吃晚饭吧，二楼。再见！"

她和我握手，这手现在才引起我的注意，一只完全与她声音匹配的手，漂亮，丰满，灵巧，热情。我吻她手时她嘲讽似的笑了。

最后一刻她又转过身来说："我还想对你说点事儿，关于歌德的。你瞧，像你在歌德问题上不能忍受他的画像一样，有时我在圣徒问题上也这样。"

"在圣徒问题上？你这么虔诚？"

"不是的，我不是虔诚，可惜，可我以前虔诚，以后也会再虔诚的。现在哪有时间虔诚啊。"

"没时间？难道虔诚还要时间？"

"要的。要虔诚就需要时间，甚至需要更多：不依赖时间！你不可能一边很虔诚，一边生活在现实中，并且还认真对待现实——时间、金钱、音乐厅酒吧等所有这些东西。"

"我明白。可这和圣徒有什么关系呢？"

"有些圣徒我特别喜欢，如施特凡、圣弗兰茨和其他人。我有时看到他们的像，也看到耶稣基督像和圣母像，这些像虚假、歪曲、愚昧，我像你不能忍受那幅歌德画像一样不能忍受这些画像。每当我看到一幅甜腻腻而愚蠢的耶稣基督像或圣弗兰茨画像，看到其他人认为这些画像很漂亮、很赏心悦目时，就感到这些画像是对真正耶稣基督等的侮辱，心想：如果这么一幅愚蠢的耶稣基督画像就已让人们满足，那他为什么活着，又为什么遭这么大的罪！尽管如此，我知道我心中的耶稣基督或弗兰茨画像也只不过是对人的想象而已，达不到原型的样子，那些甜腻腻的摹仿画像在我看来愚蠢、欠佳，同样我心中的耶稣基督像在耶稣基督自己看来也愚蠢、欠佳。我告诉你这些不是说你因歌德像生气发火是对的，不是，你不对。我说这些只想告诉你我能理解你。你们这些学者与艺术家脑袋里净是些有趣的想法，可你们像其他人一样也是人，我们其他人脑袋里也有我们的梦想和游戏。因为我发现，博学的先生，在如何向我讲你的歌德的事情上你是有些尴尬的——为了让一个普通姑娘明白你理想的东西，你得费点劲儿。好，我想告诉你，你没必要这么费劲。我是理解你的。好了，现在结束！你该上床睡觉了。"

她走了，这家酒店的一个年老仆人带我往上走了两层楼，他先是问我有没有行李，当听到没有时，就说我得预先支付"睡觉钱"。然后他带我走过一个陈旧、灰暗的楼梯间，到了上面的一个房间后丢下我一人。这里有张薄薄的木床，很短很硬，墙上挂着一把军刀和一幅加里波第[1]的彩色画像，也挂有一个协会庆典的花环，已凋谢。如果要睡衣得另外加很多钱。至少有水和一条小毛巾，我可以洗洗，然后我和衣而卧，开着灯，有时间思考。就是说现在歌德的事儿解决了。他梦中走来真是太棒了！这个奇妙的姑娘，如果我知道她叫什么多好呀！突然有个人，一个活生生的人，把我麻木状态的浑浊玻璃罩打碎，伸手进来

1　加里波第（1807—1882），意大利的建国英雄。

拉我，一只亲密的、漂亮的、温暖的手！突然又有了与我有点关系的事情，我可以带着喜悦、担忧和紧张想这些事情了。突然一扇门敞开了，生活穿门而过向我走来！我也许能再活下去，也许又能成为人了。我的灵魂，在寒冷中睡着并快冻死了，现在又呼吸了，昏昏欲睡地扇动着弱小翅膀。歌德来过。一个姑娘叫我吃喝，叫我睡觉，对我亲切，取笑我，称我是笨小孩。她，这个奇妙的女友，也给我讲圣人的事儿，向我表明我的古怪行为哪怕再奇特也不是特立独行，不是不被理解，不是病态的例外，告诉我我还有兄弟姐妹，还有人理解我。我是否还能见到她？是的，当然可以，她是可信赖的。"说话算数。"

我又睡着了，睡了四五个小时。醒来时十点都过了，我穿着皱巴巴的衣服，疲惫、困乏，脑子里还回忆着昨天发生的什么讨厌事儿，但有了活力，满怀希望，满脑子好想法。回家时我已感觉不到昨天家给我带来的恐惧。

在楼梯上，在南洋杉上面，我碰见"婶婶"——房东，我很少见到她，但她的客气劲儿我很喜欢。相遇让我不自在，因为我毕竟有点不整洁，困乏，头没梳，脸没刮。我打了个招呼想走过去。她一贯尊重我对独处和不被关注的渴望，可今天我与周围世界之间的面纱好像确实被撕破了，栅栏倒了——她笑了，停了下来。

"您溜达来着，哈勒尔先生，您昨夜根本没上床。您一定累坏了！"

"是的，"我说，我也忍不住笑了，"昨夜有点热闹，因为我不想坏了您家的作息时间，所以就在宾馆睡了。我十分尊重您家的宁静与值得称道的东西，有时我觉得在这里像是外人。"

"别嘲笑了，哈勒尔先生！"

"噢，我只是嘲笑我自己。"

"说的就是您不该自嘲。您不该在我们家觉得是外人，喜欢怎么生活就怎么生活，想干吗就干吗。我有过一些十分、十分值得尊敬的房客，他们是值得尊敬的人，可都没您安静，都不像您这样很少打扰我们。现在呢，您想要杯茶吗？"

我没反对。她客厅里有漂亮的旧画和老式家具，她把茶放到我面前，我们闲聊了一会儿，好客的太太也没怎么问就了解了一些我的生活和思想，听时既带着敬重又持母亲般不完全当真的态度，这是聪明女人对男人们的怪诞行为常采取的态度。她也谈到了自己的侄子，让我在隔壁房间看了他近来的业余工作，一台收音机。勤奋的年轻人晚上就坐在这儿，安装这样一台机器，他对无线电知识着了迷，虔诚地下跪向技术之神祈祷。技术之神做的事儿是几千年后发现事物并极不完美地表现它们，每个思想家总是早就知道并更加聪明地利用它们。我们谈这些，因为婶婶有点虔诚，宗教话题她并非不喜欢。我告诉她一切力量与业绩无所不在，这一点古印度人或许早就知道，技术让人们普遍意识到的只不过是这个事实的一小部分，方法就是为此——为声波设计一个目前还极不完善的接收器与发送器。有个古老的认识主要讲时间的非真实性，这一点至今还没引起技术的注意，可最终它当然也会被"发现"并落入忙碌的工程师们手中。人们，也许就在不久的将来，会发现不仅当下的、眼下的画面与事件常把我们淹没，就像现在在法兰克福或苏黎士能听到来自巴黎和柏林的音乐一样，而且曾发生的一切也都记录在案，它们存在着，有无线电也好，没有无线电也罢，有干扰的杂音也好，没干扰的杂音也罢，有朝一日我们或许能听到所罗门王和瓦尔特·封·德尔·福格威特[1]说话。像今天收音机的发端表明的那样，这一切只会让人远远逃离自己与自己的目标，让

---

1 福格威特（1170—1230），奥地利诗人。

越来越密的消遣网与无用的忙忙碌碌的网把自己罩住。我说自己熟悉的这一切时并非用以往对时间及技术的恼怒和嘲讽的语调，而是开玩笑似的，玩儿似的，婶婶笑了，我们坐在一起大概有一小时，喝着茶，很满足。

我约"黑鹰"里那个漂亮而奇特的姑娘星期二晚上见面，打发约会之前的时间没少费我劲。终于到星期二了，这时我明白了我与这个不认识的姑娘的关系有多么重要，这点令我吃惊。我只念着她，对她寄予所有的希望，乐意为她献出一切，在一点都不爱她的情况下拜倒在她的脚下。我只需想象一下她可能不来赴约或忘记，就能清楚地预见我的状况将如何了，真要那样世界又将变得空洞了，日子又会像往常一样这么灰暗、无价值，我周围又将是一片令人恐怖的寂静和死气沉沉，除了刮胡刀，没有走出这个沉默地狱的出口。这几天刮胡刀仍旧让我厌恶，它还是那么可怕。这正是讨厌之处：我对切开自己的喉咙怕得要死，格外地怕，我以不可抑制的、坚忍的、反抗的和抵御的力量与死抗争，好像我是最健康的人、我的生活是天堂似的。我知道我的状况是怎么回事儿，十分明白，再清楚不过了，明白那个不认识的女子——"黑鹰"里那个娇小漂亮的舞蹈演员——之所以对我这么重要，是因为我无法忍受生死两难的紧张。她是扇小窗，是我幽暗的恐惧地狱中微小而透亮的洞口。她是救星，是通往外面的路。她必须要么教我生要么教我死，一定要用她那结实而漂亮的手触摸我僵化的心，好让心在生命的触摸下要么跳动起来要么碎成灰。她从哪儿获得这种力量，从哪儿获得魔法，出于什么神秘的原因，我无法想象，也无所谓。知道与否，了解与否，对我一点都不再重要，因为我知道的东西太多了，对我最无情、最具讥讽意味的折磨与羞辱恰恰源于我如此清楚地看到我自己的状况，太了解它了。我看到这个家伙，荒原狼这个畜生，在我面前，像网中的苍蝇，看着它的命运面临抉择，看着它陷入绝境，看着它被套在网中无力抵抗，看见蜘蛛准备咬它，看见一只援手好像同样近在咫尺。我痛苦，我有心病，我中了邪，我有神经官能症，关于这些问题的相互关系与成因我本可以说是因为自己不够聪明和理智，这样的影响机制对我来说是显而易见的，可并非知晓与明了是我所需、让我如此渴求，而是体验、抉择、碰撞与跳跃。

虽然在等待的那几天里我从没怀疑过女友的承诺，可在最后一天我还是很紧张，没有把握；等待一个晚上的到来在我一生中还从来没有比现在更不耐烦，一方面紧张与不耐烦几乎让我难以承受，可另外一方面让我极为舒服：对我，一个醒悟了的人，一个长久以来什么也不等，对什么也高兴不起来的人来说，这是美妙绝伦而新鲜的，一整天我都不安、担心、期望满满，一整天徘徊不止，事先想象一下晚上相见、聊天的情景与结果，为约会刮胡子、穿戴好（要格外细致，穿上新衬衫，用上新领带、新鞋带），真是太棒了。不管这个聪明而神秘的小姑娘是谁，不管她以什么方式与我建立了关系，都无所谓。她在那儿，奇迹发生了，我又找到了一个人，重新找到了生活乐趣！只有一点重要：这事儿要继续下去，让这种吸引左右自己，追随这颗星。

又见到她的那一瞬间真是难以忘怀！我坐在舒适的老饭店里的一张小桌旁，事先我还多此一举地打电话预订了这张桌子，坐在那研究菜单，把为女友买的两朵漂亮的兰花放在水杯中。我得等她好大一会儿，可觉得她肯定会来，便不再激动了。她来了，在衣帽间前停了下来，只用淡灰色的眼睛中那仔细而有点审视的目光扫了我一眼，算是问候。我满腹狐疑地监视着服务生如何待她。还好，谢天谢地，不亲密，不缺少距离感，他十分客气。可他们是认识的，她叫他埃米尔。

我把兰花给她时她很高兴，笑了。"你真好，哈里。你想送我礼物是吧？你完全不知道选什么，不是很清楚到底有没有资格送我东西，不知道会不会得罪我，于是你就买了兰花，这只不过是花，可是很贵的。谢谢了。此外我想马上告诉你：我不想要你的东西。我是靠男人们养活，可我不想靠你养活。你变化可真大呀，都认不出来了。不久前你看上去就像别人刚把你的上吊绳剪断救下你似的，现在差不多有个人样了。另外你执行我的命令了吗？"

"什么命令？"

"这么健忘呀？我是指你现在是不是会跳狐步舞了。你告诉过我，说没有比得到我的命令更好的事儿了，没有比听我的话更让你高兴的事儿了。你还记得吗？"

"噢，记得，说真的，那是我心里话。"

"可你还是没学跳舞？"

"哪能这么快？这才几天的工夫呀。"

"当然可以，狐步你一小时就能学会，波士顿舞[1]两小时，探戈要长一点，但这种舞你根本不用学。"

"可我现在就要知道你叫什么！"

1　一种华尔兹舞。

她沉默地看了我一会儿。

"你也许能猜出。如果你能猜出来我是很高兴的。注意，好好看着我。你还没发现我有时有张男孩的脸吗？比如现在。"

是的，我现在仔细看她脸时不得不说她说得对，这是张男孩的脸。我用一分钟仔细端详，这时脸开始对我说话了，让我想起我自己的孩童时代和我那时的朋友，他叫赫尔曼。有那么片刻她好像变成了这个赫尔曼。

"如果你是男孩，"我惊讶地说，"那你一定叫赫尔曼。"

"谁知道呢，也许我是他，只是乔装打扮了一下。"她漫不经心地说。

"你叫赫尔米娜吗？"

她喜形于色地点点头，很高兴我能猜中。这时汤上来了，我们开始喝汤，她变得孩子般开心。她身上有许多东西让我喜欢和着迷，其中最可爱、最独特之处是她的喜怒无常，刚才还严肃无比呢，忽然就变得极其滑稽和快乐，反之亦然，而在此过程中她一点都没走样，就像在一个很有天赋的孩子身上看到的那样。现在她快乐有一阵子了，用狐步舞拿我开涮，甚至用脚碰碰我，极力夸饭好吃，看出我在穿着上费了心思，便对我的外表挑出许多毛病。

其间我问她："你忽然长得像个男孩，我又能猜中你的名字，你是怎么做到的？"

"噢，这一切是你自己做到的。你难道不明白吗，博学先生？我之所以讨你喜欢、对你重要，是因为我对你来说是一种镜子，因为在我内心有些东西可以回应你、理解你。本来所有人都应彼此是这样的镜子，都应这样彼此回应、彼此满足，可像你一样的怪人就是奇怪，很容易入魔，他们在其他人眼里什么也看不见，什么也读不到，什么事儿都不再和他们有关。可这样一个怪物突然又发现一张脸，而这张脸真正在看他，他在这张脸上发现了类似回应和相似的东西时自然是高兴的。"

"你什么都知道，赫尔米娜。"我吃惊地喊了起来。"事情正像你说的那样。可你与我完全不同啊！你正是我的反面；我没有的你全有。"

"这是你的感觉，"她言简意赅地说，"这很好。"

她的脸在我看来确实像一面魔镜，现在一朵严肃的浓云飘过她的脸，忽然这整张脸只流露出严肃的神色、悲剧的神色，深不可测，就像从面具上空洞的眼窝里流露出来的眼神一样。她慢条斯理地、一个字一个字地说，好像很不情愿说出来似的：

"喂，别忘了你对我说的话！你说要我命令你，听我所有的命令你会高兴的。别忘了这一点！你得知道，小哈里，你在我身上找到的感觉，源自我的脸给的答案，我身上有些东西合你的意，给你信任，反过来我看你也是这样的。不久前我看见你走进'黑鹰'时人很累，心不在焉，差不多不是活在这世上，这时我马上感到：他会听我的，他渴望我命令他！所以我才找你搭讪，所以我们成了朋友。"

她的话很沉重、严肃，是在心灵的高压下说的，这样一来我就不能完全明白了。我想让她静下心来，分散一下她的注意力。她只动了动眉毛就化解了我的努力，她咄咄逼人地看着我，声音很冷漠地继续说："告诉你，你要遵守诺言，小家伙，要不然你会后悔的。你会得到我许多命令，会听从这些命令，都是很棒的、令人舒服的命令，你服从这些命令会让你快乐的。最终你也会完成我最后的命令，哈里。"

"我会的。"我顺着她说。"你给我最后的命令是什么呢？"可我已料到是什么了，天知道为什么。

她抖抖身子，像冷得微微发颤，好像慢慢从沉思中缓过神来。她眼睛紧盯着我不放，她倏地变得更阴沉。

"假如我不告诉你这个，我或许是个聪明人。可我不想做聪明人，哈里，这次不想。我想要点完全不一样的东西。注意，你听好！你会听到它，又会再忘记它，会笑话它，会为它哭。你看着吧，小家伙！我想和你拿命赌，小兄弟，在我们开赌之前我想向你亮出我的牌。"

她说这话时脸多漂亮呀！多么超凡呀！眼里浮现出会意的悲伤，冷漠而明亮，这双眼睛好像已经历过一切想象得到的痛苦并对此表示同意。她嘴巴说话困难，受阻，就像一个人脸被冻僵时说话的样子；可与目光与声音相反，在唇间，在嘴角处，当极少看得见的舌尖转动时，流淌出的都是甜蜜和游戏般的性感和对情欲热忱的渴望。一缕短短的鬈发垂到她静默的、光滑的额头上，从那儿，从有着鬈发的鬓角处，时不时涌出假小子的波浪，它似生命的气息，具有雌雄同体的魅力。我惊恐不安地听她说话，但像打了麻醉剂似的，心神恍惚。

"你喜欢我，"她继续说，"喜欢的理由我已告诉你了：我打破了你的孤独，我正好在地狱门口截住了你，又把你唤醒了。可我想得到你更多的东西，多好多。我想让你爱上我。别，别反驳我，让我说完！你很喜欢我，这我感觉到了，你很感激我，可你并没爱上我。我想让你爱我，这是我的职业；我就是以能让男人爱上我为生的。但你听好，我这么做不是因为我觉得你多么迷人。我没爱上你，哈里，就像你没爱上我一样。可我需要你，就像你需要我一样。你现在需要我，眼下，因为你绝望了，需要别人推你一把，把你推上岸，再让你活过来。你需要我是要学会跳舞，学会笑，学会生存。可我需要你，不是今天，是以后，也是为了一点很重要、很美的事情。当你爱上我时，我会给你下最后的命令，你会听我的，这对你我都有好处。"

她从水杯里稍稍拿起一朵有绿脉的棕紫色兰花，把脸凑上去片刻后，对花凝视起来。

"你做这事不会轻松的，可你会做的，你会执行我的命令将我杀死。就是这样，别多问！"

她不说话了，目光仍停留在兰花上，脸松弛了下来，像一个含苞欲放的花蕊从压力与张力中绽放出来，忽然她嘴唇露出迷人的微笑，而眼睛仍有那么片刻呆滞，像着了魔似的。现在她摇了摇有着男孩小鬈发的头，喝了一口水，忽然又觉察到我们在吃饭，便胃口大增，狼吞虎咽地吃起来。

我逐字听清了她那可怕的话，甚至在她还没说出"最后的命令"是什么以前就猜中了，对她说的"你会执行我的命令将我杀死"不再吃惊。她说的一切在我听来很有说服力，是天意，我接受，不反抗。尽管她说话严肃得可怕，这一切对我来说不全是真的，不是动真格的。我灵魂的一部分吸纳了她的话，相信她说的，我灵魂的另外一部分则安慰地点点头，知道了这个聪颖、健康、信心满满的赫尔米娜毕竟还有她的幻想，也有神志昏迷的时候。她最后的话刚说完，不真实与无效层面就覆盖了整个场面。

不管怎么说我不能像赫尔米娜那样用走钢丝的轻松劲儿一跃而回到可能性与真实中。

"就是说我要杀了你？"我问，似乎还沉浸在浅浅的回味中，而她又笑了，忙不迭地切碎家禽肉。

"当然了，"她草草点了点头，"说够了，现在是吃饭的时候。哈里，劳驾再给我要一点绿色沙拉！你难道没胃口？我认为你得先学学所有对别人来说再自然不过的事儿，甚至得学学吃饭有乐趣。你看，小家伙，这是根小鸭腿，如果你把浅色的美味的鸭肉从骨头上弄下来，那么就是一个节日，你一定会胃口大开，心里既紧张又感激，就像一个恋人第一次帮助他的姑娘脱掉外衣时一样。明白吗？不明白？你是个笨蛋。你看着点，我给你一块好吃的鸭腿肉，这下你就明白了。来，把嘴张开！——噢，你这个可恶的家伙！现在你，真该死，斜眼往别人那里看，想看看人家是不是看到你从我的叉子上吃了一口！别担心，你这个不争气的人，我不会让你丢脸的。可如果你认为想开心先要得到别人的允许，那么你真是个可怜的笨蛋了。"

刚才那一幕越发不真实、不可信了，这双眼睛几分钟前还那么沉重地、可怕地愣着。噢，在这一点上赫尔米娜就像生活本身——总是只有眼下——一样从来不能预估。现在她在吃，鸭腿、沙拉、大蛋糕和利口酒都很认真地对待，它们成了快乐与评判的对象，成了聊天与幻想的对象。盘子一撤，就开始新的一章。这个完全看透我的女人，这个对生活知道得好像比所有智者都多的女人有童真，她在用一种艺术搞瞬间的生活游戏，这种艺术立即把我变成了她的学生。不管这是高超的智慧还是最简单的单纯：一个人懂得只为瞬间而活，活在当下，懂得友好而仔细地欣赏路边的每朵小花，懂得珍惜每个游戏般的、极小的瞬间价值，那么生活就不能把他怎样。这个吃得香、有着游戏能力般的美食鉴赏力的快乐孩子会同时也是一个盼望死亡的梦想家和歇斯底里的人吗？或是个警觉而有心计的人，有意地、冷酷地想让我爱上她，想让我成为她的奴隶？这不可能。不，她真的完全醉心于眼下，以至于不管是每个快乐的念头，还是每个模模糊糊一闪而过的惊恐，她都坦然面对，不往心里去，任其自流。

我第二次看到的赫尔米娜对我了如指掌，好像在她面前我不可能有任何秘密。她有可能不完全懂得我的精神生活；她或许不能追随我走进我和音乐、歌德、诺瓦利斯、波德莱尔的关系中，可也说不定，这对她也轻而易举。就算她不懂这些又何妨——我的"精神生活"还剩下什么呢？不是一切都破碎了、失去意义了吗？可我的问题，最和我个人有关及我深为关切的问题她会全明白的，我对此深信不疑。不久我会和她谈荒原狼，谈宣传手册，谈天说地，这一切到目前为止只是我自己的话题，我还从没跟任何一个人谈过哪怕一句。我忍不住马上就要开始谈了。

"赫尔米娜，"我说，"最近我碰到一点怪事儿。一个不认识的人给我一本印刷的小册子，像年货集市上卖的小册子一类的东西，里面很详细地描述了我的全部故事和一切与我有关的事儿。你说这不奇怪吗？"

"小册子叫什么呢？"她漫不经心地问。

"《论荒原狼的宣传手册》。"

"噢，荒原狼了不起！你是荒原狼？你难道是荒原狼？"

"是，我是。我是半人半狼的人，或者以为是这样的人。"

她没回答，用审视的专注劲儿看着我的眼睛和我的手，她的目光和脸有那么片刻又像刚才那样极为严肃，又像刚才那样显露出强烈的阴郁状。我以为猜出了她的想法：她在想我是不是有足够的狼性来执行她"最后的命令"。

"这自然是你的想象，"她说着又快活起来，"或许是诗作，随便你怎么说。可这有点道理。今天你不是狼，可不久前，当你走进大厅时就像星外来客，那时你就是这样一头野兽，这正是我喜欢你的地方。"

她突然想起什么，话说了半截停住，做出很吃惊的样子又说道：

"'野兽'或'食肉动物'这样的词听起来很蠢！不该这样说动物。它们确实让人害怕，但它们毕竟比人真实得多。"

"什么叫'真实'？你指什么？"

"你看一个动物吧，一只猫，一条狗，一只鸟，或干

136

脆看一头动物学上漂亮的大型动物，一头美洲狮或一头长颈鹿！你一定看到它们都很真实，甚至没一头动物会尴尬或不知该做什么、怎么做。它们不想向你献殷勤，不想给你留下深刻印象。它们不做戏，是什么样就什么样，就像石头、花朵，或天上的星星。明白了吗？"

我明白。

"大多数情况下动物是悲伤的，"她继续说，"如果一个人很悲伤，不是因为牙痛或丢了钱，而是因为他有一小时感到了一切，感到整个生活是怎么回事儿，于是他真的很悲伤，这时他总有点像动物——这时他看上去悲伤，可比以往更真实，更漂亮。就是这样，我最初见到你时你看上去就是这样，荒原狼。"

"好了，赫尔米娜，你对那本描述我的书是怎么想的？"

"你知道我不喜欢老是思考。下次再说吧。你可以让我读读它。算了，如果我什么时候再读书，你给我一本你自己写的书读。"

她要了咖啡，有一阵像是不那么专心了，一副心不在焉的样子，可忽然又喜形于色，好像她的苦思冥想达到了目的。

"喂，"她高兴地叫道，"我有办法了！"

"什么？"

"狐步舞的事儿，我一直都在想这事儿。你说吧，你有一间房间吗？我们俩时不时地可以在里面跳一小时。房间小点也行，没关系，只是你楼下不能住人，否则上面一摇晃他就会上来大吵大闹的。好，很好！这样一来你就可以在家学跳舞了。"

"是的，"我不好意思地说，"这样更好。可我想跳舞也得有舞曲才行呀。"

"当然要了。你听好，舞曲你买，最多就是在一个老师那儿上舞蹈课的钱。老师你可以省了，我自己当。这样我们就有舞曲了，想什么时候跳就什么时候跳，此外唱机我们这儿得有。"

"唱机？"

"那当然。你买这样一台小唱机，再买些舞曲唱片……"

"太棒了，"我叫道，"如果你真能教会我跳舞，那么唱机就归你了，作为报酬。同意吗？"

我说这话时很果断，但不是真心话。我无法想象在我堆满书的小书房里放这么一个我绝没好感的东西，对跳舞我也是有许多反对的理由。我想，偶尔试试不妨，虽然我确信我岁数太大，手脚不灵活，学不会。可现在一下子全来了，这对我来说太快，太猛烈，我作为一个品位很高的音乐老行家是反对唱机、爵士乐和现代舞曲的，感到内心所有的一切都在抵触。现在在我房间，在诺瓦利斯和让·保尔旁边，在我思想的隐庐与港湾里要响起美国流行舞曲，我还得跟着跳，没人可以这样要求我。可提出这要求的不是"某个人"，而是赫尔米娜，她在下命令。我听命。我当然听命。

我们第二天下午在一家咖啡馆见面。我到时赫尔米娜已在，喝着茶，她微笑着让我看一张报，她在报上发现了我的名字。这是我家乡反动的煽动性报纸之一，总会时不时有猛烈诽谤我的文章见诸这些报端。我战时曾是反战者，战后曾时时提醒人们保持冷静与耐心，要人道，要自我批评，曾抵制一天比一天猛烈、一天比一天愚蠢、一天比一天疯狂的民族主义的煽动。　现在又对我进行这样的攻击了，文章写得很糟糕，一半是编辑自己写的，一半是用许多与他观点相近的媒体中类似的文章拼凑的。都知道没人像旧意识形态的卫道士一样写得这么糟，并且不辞辛苦地干这种不太干净的勾当。赫尔米娜读了这篇文章，从中了解到哈里·哈勒尔是个"害人虫"和"没有祖国的家伙"，似乎只要容许这类人、这些思想存在，让他们把年轻人教育得具有感情充沛的人类思想，而不是向不共戴天之敌报战争之仇，那么祖国的状况就会堪忧。

"这是你吗？"赫尔米娜指着我的名字问。"这下好了，你净树敌了，哈里。你生气吗？"

我读了几行，老掉牙的东西，这种人云亦云的诽谤话我听多年了，句句令人生厌。

"不，"我说，"我不生气，早就习惯了。我几次发表观点，认为每个民族，甚至每个个人都须在自己身上找找问题，看看自己在多大程度上因错误、疏忽和恶习也应对战争和世上其他一切苦难担当责任，而不是带着虚伪的政治上的'责任问题'高枕无忧，这也许是避免下一场战争的唯一途径。这一点他们不原谅我，因为他们自己当然没一点责任：皇帝、将军们、大工业主们、政治家们和报刊——没人责备自己哪怕一点点，任何人都没责任！人们可能认为世上一切都美好，只不过几百万被杀戮者躺在地下。跟你说吧，赫尔米娜，虽说这种诽谤文章不会让我生气，但我有时还是挺伤心的。我同胞中有三分之二的人读这类报纸，每天早晚听这种声音，每天被劝说、告诫、煽动，被挑起不满与愤怒，这一切的目的与结局又是战争，未来的下一场战争，它可能会比这场战争还要可怕。这一切都很清楚、很简单，每个人都能明白，只要思考一小时就能得出同样的结论。可没人想这样做，没人想避免下一场战争，没人想避免让自己和晚辈再经历几百万人惨遭屠杀，如果不能付出更少的代价的话。用一小时思考一下，走进自己内心一会儿，自问一下自己在多大程度上因为参与了世间的混乱与邪恶而负有责任——你瞧，没人想这样做！情况就这样继续下去，成千上万的人一天天地在积极备战。我得知此事后呆住了，绝望了，对我来说不再有'祖国'，不再有理想，这一切都只是为正在准备下一次屠杀的老爷们涂脂抹粉。随便想一点、说一点、写一点有人性的东西没意义了，好好动动脑筋没意义了，有两三个人这样做，可每天等待他们的是上千种报刊、演讲、公开或秘密的会议，它们都反其道而行之，且卓有成效。"

赫尔米娜同情地听着。

"对的，"她说，"你说得有道理。当然会再有战争，不用看报就知道这一点。你当然可以对此伤心，可没价值。这就好比一个人为总有一天非死不可而伤心，虽说他竭尽全力与死进行了抗争。与死亡斗，亲爱的哈里，始终是一件美好、高尚、奇妙、令人崇敬的事儿，反战也同样，可这也始终是堂吉诃德式的行为，没什么希望的。"

"也许真是这样，"我激动地叫道，"可人们用这些事实，比如我们大家将来毕竟都会死，来证明一切都不必在乎，什么都可无所谓，而把整个生活弄得很乏味、愚蠢。难道我们应把一切都抛弃吗？放弃所有的精神、所有的追求、所有的人性吗？继续让野心和金钱统治吗？喝着啤酒等待下一次战争动员吗？"

赫尔米娜看着我，眼神很奇怪，充满取乐之意，充满嘲讽，有调皮味道和善解人意的友谊之情，同时也充满沉重、会意的味道及深不可测的严肃！

"你不该这样。"她很慈爱地说。"如果你知道你的斗争没结果，那么你的生活也不会因此而变得乏味、愚蠢；如果你为一点好的和理想的东西而斗争并认为能取胜，那就乏味多了，哈里。难道理想是为了实现而存在的吗？难道我们人活着是为了废除死亡吗？不是，我们活着是为了敬畏它，然后再爱它，正因为有了它点滴生命有时才红红火火一小时。你是个孩子，哈里。现在听话，跟我来，我们今天有许多事儿要做。我今天不想再理会战争和报纸了。你呢？"

"哦，对，我也不想理会了。"

我们一起走——这是我们第一次一起在城里走——走进一家乐谱店看唱机，把它们打开又关上，让人家给我们演示，我们发现其中一台很合适，很不错，物美价廉，我想买下，可赫尔米娜没这么快就满足。她拦住了我，我还得先跟她跑第二家店，在那儿也要把所有的系统与型号看看听听，从最贵的到最便宜的，现在她才同意返回第一家店买刚才那台。

"你瞧，"我说，"我们本可以简单点的。"

"是这样吗？真要那样，也许我们明天就会看见同一台机子在另外一家店的橱窗里展出，便宜二十法郎呢。另外买东西很有意思，有意思的事儿就得尽情享受。你还得学许多东西。"

我们叫了个搬运工把买的东西送到我家。

赫尔米娜仔细观看我的起居室，夸炉子和沙发好，试了试椅子，拿起书，长久地站在我情人的照片前观看。我们把唱机放在书堆中一个五斗橱上。我的课就开始了。她让我放狐步舞曲，走了几舞步给我看，牵着我的手，开始带我跳。我听话地跟着迈步，有时撞到椅子，有时听她的命令没领会，踩了她的脚，既笨手笨脚又尽心尽力。跳完

143

第二支舞后她一下子躺到沙发上，笑得像个孩子。

"天哪，你太死板了！你就像散步似的向前迈步嘛！根本没必要用劲。我想你已热了吧？好了，我们休息五分钟！你瞧，如果会跳，跳舞就像思维一样简单，学跳舞容易多了。人们不想养成思维的习惯，而是更乐意叫哈勒尔先生卖国贼，眼睁睁看着下一场战争到来，你现在就不会为这些事那样不耐烦了。"

一小时后她走了，保证说下次一定会好些的。我不这么想，我对自己的愚蠢与笨拙很失望，我觉得自己在这一小时里根本什么也没学到，不相信下次会好些。不，跳舞得有一些能耐，我完全没有，比如欢快、天真、率性和奔放。我早就想到这个了。

可你看，下次确实好多了，甚至我开始有了乐趣，上课结束时赫尔米娜断言我现在会跳狐步舞了。可她由此得出的结论是我明天得和她到一家餐馆去跳舞，她这么一说我吓得不轻，极力抗拒。她冷冷地提醒我曾发誓要听话，约我明天到巴兰塞宾馆去喝茶。

那天晚上我坐在家里，想读书，可读不进去。我害怕明天；我这个胆怯、敏感的老怪物不仅要去这种放爵士舞曲的乏味而现代派的茶馆与舞厅，而且还要在陌生人中作为舞者展示一番，可我现在还什么都不会呢，想到这些我就怕。我在自己宁静的书房里一个人给唱机上了发条，让它转起来，穿着袜子轻手轻脚地复习我的狐步舞，这时我承认我在拿自己开涮，我在我自己面前都感到不好意思。

那一天有支小型乐队在巴兰塞宾馆演出，那里提供茶与威士忌。我想贿赂赫尔米娜，把点心放到她面前，想请她喝一瓶好酒，可她态度仍很强硬。

"你今天到这儿不是来娱乐的，这是上舞蹈课。"

我不得不跟她跳两三次，其间她把我介绍给萨克斯管演奏家，一个深肤色的漂亮年轻人，从西班牙或南美来的，她说他会所有的乐器，会世上所有的语言。这位先生好像与赫尔米娜很熟，是好友，他前面放着两个不同大小的萨克斯管，他换着吹，吹奏时熠熠的黑眼睛专注而愉快地琢磨着跳舞的人。我感到有点妒忌这个和善、帅气的音乐人，这一点令我自己吃惊，不过不是爱情的妒忌，因为我和赫尔米娜之间还没爱情可言，更多的是一种精神上的友情妒忌，因为他在我看来不配引起别人的兴趣，不配获得异乎寻常的褒奖，不配她对他表现出崇拜之情。我不得不认识一些滑稽的人，我闷闷不乐地想。

之后赫尔米娜一次次被请去跳舞，我一人坐在那儿喝茶，听音乐，一种迄今为止我无法忍受的音乐。天哪，我想，这么说我要在这里入门，要熟悉这里，熟悉这个对我来说这么陌生、这么讨厌的世界，这个我至今小心避开、深恶痛绝的世界，这是游手好闲人的世界，是寻欢作乐人的世界，是由大理石的小桌子、爵士乐、交际花和销售员组成的光滑而仿效的世界！我忧郁地品着茶，往还算优雅的人群中看。两个漂亮姑娘吸引了我的目光，两个很好的舞者，我带着钦佩与羡慕之情看着她们跳，她们跳得是那么的灵活、漂亮、快乐、自信。

这时赫尔米娜又出现了，对我不满，责备我说我来这儿不是为做出这副表情的，不是一动不动地坐在茶桌旁，我现在应鼓起劲来跳舞。怎么跳？我不认识任何人。这完全没必要。难道这里真没有姑娘让我喜欢？

我指给她看一个更漂亮的女子，她就站在我们附近，穿着漂亮的丝绒小裙子，一头剪得很短、很硬的金发，胳膊圆滚滚，有女性美，她很迷人。赫尔米娜非要我马上走过去邀请她。我绝望地抗拒着。

"我真的不行！"我颓丧地说。"唉，如果我是个漂亮的年轻小伙儿多好啊！可我是这样一个连舞都不会跳、笨手笨脚的老笨蛋——她会笑话我的！"

赫尔米娜轻蔑地看着我。

"是不是如果是我笑话你你当然就无所谓咯？你是怎样一个胆小鬼啊！每个接近女孩的人都有被人家笑话的风险；这是赌注。冒次险吧，哈里，最坏的结果也就是让人笑话你罢了——否则我就不相信你是听话的。"

她不让步。当音乐再次响起时，我不安地站了起来，走向那个漂亮姑娘。

"其实我有舞伴，"她说，好奇地用水灵灵的大眼睛看着我，"可我的舞伴好像留在那边吧台了。好，您来！"

我拥着她迈出了头几步，还在奇怪她没把我打发走时，她已发现我是外行，于是她带我跳。她跳得真好，跳得我很疲惫，有时我全然忘记舞蹈应做的动作和该遵守的规则了，索性跟着乱晃，碰到我这位舞伴那有弹性的腰和动作敏捷的柔软膝盖，望着她那年轻、光彩照人的脸，我向她坦承我今天是有生以来第一次跳舞。她笑笑，鼓励我，极为巧妙地回应着我欣喜的目光和恭维话，不是用言语，而是用轻柔而迷人的舞姿，舞蹈让我们靠得越来越近，越来越兴奋。我右手紧紧搂住她的腰，愉快地、忙不迭地跟着她的腿、胳膊和肩的动作，令我吃惊的是一次也没踩过她的脚，音乐结束时，我俩站在那儿鼓掌，直到舞曲再次响起，我又劲头十足地、热恋般地、虔诚地走起舞步。

舞蹈结束了，结束得太早，这时漂亮的丝绒姑娘回到座位上，而一直看着我们的赫尔米娜忽然被我发现站在我身边。

"你发现了吗？"她夸奖着笑了。"你发现女人腿不是桌子腿了吗？好，真棒！你现在会狐步了，谢天谢地，明天我们去跳波士顿，三周后地球仪舞厅有假面舞会。"

现在是舞会休息时间，我们坐了下来，这时年轻帅气的帕伯罗先生，那个萨克斯管演奏家也来了，向我们点点头，挨着赫尔米娜坐下。他好像和她是很要好的朋友。可我，我承认，在刚见到时就很不喜欢这位先生。他漂亮，这不用否认，身材漂亮，脸蛋漂亮，可我不能在他身上找到其他的优点。他会多种语言也让他说得太简单了，因为他根本什么都不会说，只会一些诸如"请"、"谢谢"、"是的"、"那当然"、"你好"之类的话，这些他当然可以用多种语言说。不，他什么也不会说，帕伯罗先生，他好像思考也不多，这个漂亮的卡巴雷罗[1]。他做的事儿就是在爵

---

1 在西班牙语中是绅士的意思。

士乐队里吹萨克斯管，好像满怀喜爱之情与热情在从事这个职业，有时在演奏中突然击掌或随意做出其他热情爆发的举动，比如把歌词大声喊出来，如："噢，噢，噢，哈，哈，哈，哈罗！"但除此之外他活在世上显然只为了漂亮，只为讨女人们的喜欢，只为戴最时髦的领子和领带，手指也戴许多戒指，没其他目的了。他的消遣就是坐在我们身边，对着我们笑，看看他的手表，很灵活地卷着烟。他深色漂亮的克里奥尔人[1]的眼睛、黑色的鬈发，掩盖不住浪漫情怀，隐瞒不了问题和想法——从近处看，这位漂亮而有异国情调的"半神"是个快乐开朗、有点讲究的男孩，有着讨人喜欢的风度，除此之外一无是处。我和他聊他的乐器，聊爵士乐中的声音色彩，他一定看到他是在和一个音乐老欣赏家及行家打交道。可他根本不理那个碴儿，我出于对他或原本对赫尔米娜的礼貌想做点什么事儿，比如在音乐理论上为爵士乐进行辩护，而他则善意地对我和我的努力一笑了之，估计也完全不知道在有爵士乐之前，或除爵士乐之外也还有别的音乐。他很可爱，可爱而彬彬有礼，空洞的大眼睛笑得很美；可他和我好像没任

1　被贩卖到欧洲，特别是美国的非洲移民的后代。

何共同点——对他来说重要、神圣的东西在我没有一样是重要、神圣的，我们来自截然不同的大陆，我们没有一句共同语言。（后来赫尔米娜告诉我一些奇怪的事儿。她说那次聊天后帕伯罗跟她提起过我，要她和这个人交往时得格外小心，说他是这样的不幸。当她问他从什么地方看出的时，他说："可怜的，可怜的人。你看看他的眼睛！不会笑。"）

当黑眼睛的人离去、音乐再次响起时，赫尔米娜站了起来。"现在你可以再跟我跳了吧，哈里？还是不想跳了？"

和她跳我也轻松多了，自在多了，快乐多了，虽然不像和另外那个女子跳得那么尽情和忘我。赫尔米娜让我带舞，她像花瓣似的柔软轻松地配合着，我现在也在她身上发现并感觉到了所有的美，美一会迎面而来，一会儿又消失，她也散发着女人与情欲的芬芳，她的舞也柔情而深情地"唱"着性之歌，美妙而诱人——可我无法毫无拘束地、轻松愉快地回应这一切，不能完全忘我地投入。赫尔米娜离我太近了，她是我的战友，我的妹妹，是和我一样的人，她像我自己，像我青年时代的好友赫尔曼，像幻想者和诗人，像与我一道进行精神操练与放荡不羁的狂热活动的同志。

"我知道，"在我后来提起此事时她说，"我很清楚。虽然我会让你爱上我，但这不急。我们先做战友，我们是希望成为朋友的人，因为我们彼此了解。现在我们俩想互相学习，一起玩。我给你看我的小把戏，教你跳舞，教你快乐一点，笨一点，你给我展示你的思想，告诉我一点你知道的事儿。"

"别这样，赫尔米娜，没多少可展示的，你比我知道的多得多。你是怎样一个奇怪的人呀，你这个姑娘！你处处都理解我，比我强。我对你来说有点价值吗？没让你感到乏味吗？"

她眼神黯淡地瞧着地。

"我不喜欢听你这样说。想想那天晚上吧，那天你疲惫、绝望地从你的痛苦与孤寂中走来，碰到了我，成了我的战友！为什么呢？你认为我当时为什么就能看透你、理解你呢？"

"为什么，赫尔米娜？告诉我！"

"因为我就像你。因为我正像你一样独自一人，和你一样不会爱、不能认真对待生活、他人和我自己。总是有这样一些人，他们向生活提出最高的要求，很难容忍它的愚蠢与粗鲁。"

"好啊你！"我深感震惊地叫起来。"我理解你，战友，没人像我这样理解你。可你对我来说仍是个谜。你玩似的应付了生活，你对小事与享受充满这种不可思议的敬意，你是这样一个生活艺术家。你怎么会承受生活之苦？你怎么会绝望？"

"我没绝望，哈里。可承受生活之苦——噢，是的，这我可有经验。你吃惊的是我不幸福，因为我毕竟会跳舞，很熟悉生活的表面。但我，朋友，吃惊的是你对生活这么失望，因为你恰恰熟知最美、最有深度的事情——精神、艺术、思维！所以我们彼此吸引，所以我们是兄妹。我会教你跳舞、玩耍、微笑，可并不因此而满足。我会向你学习思维、学习懂得，可并不因此而满足。你知道吗？我们是两个魔鬼的孩子。"

"是的，我们是。魔鬼是精神，它不幸的孩子就是我们。我们脱离了本性，腾空着。可我想起点事：在《论荒原狼的宣传手册》里，就是我告诉过你的那篇文章里这样写着：哈里如果相信有一个或两个灵魂，由一个或两个人格组成的话，那只是他的想象，每个人都由十个、百个、千个灵魂组成。"

"这个说法我很喜欢。"赫尔米娜叫道。"比如你有很高的精神造诣，代价是你在各种各样的小的生活艺术方面很落后。思想家哈里有一百岁了，可舞者哈里的岁数还不到半天。现在我们继续培养他，还有所有像他一样这么小、这么笨、这么不成熟小弟弟们。"

她微笑着看着我，用变了的声音轻声问道：

"你喜欢玛丽亚吗？"

"玛丽亚？谁是玛丽亚？"

"就是和你跳舞的那个。漂亮的姑娘，很漂亮的姑娘。要我看，你有点爱上她了。"

"难道你认识她？"

"嗯，是的，我们很熟悉。你很在乎她吗？"

"我喜欢她，很高兴她对我的跳舞这么宽容。"

"哟，要是就这些就好了！你应该向她献点殷勤，哈里。她很漂亮，舞跳得又好，你也已爱上她了。我想你会得到她的。"

"算了吧，我没这野心。"

"现在你可有点说谎了。我知道你在世界的什么地方有个情人，每半年见她一次，见面就吵。如果你想对你这个奇怪的女友保持忠诚，那你简直太好了，但请允许我没把这个当真！我真怀疑你会极认真地对待爱情。你可以这样做，你可以用你理想的方式想怎么爱就怎么爱，这是你的事儿，我不必关心这个。可我要关心的是你如何更好地学会生活中轻松的小技巧与游戏，在这方面我是你的老师，会成为比你理想的情人更好的老师，你看着吧！你很有必要再和一个漂亮的姑娘睡觉，荒原狼。"

"赫尔米娜，"我痛苦地喊道，"你倒是看看我呀，我是老头！"

"你是个小男孩。就像你不到万不得已懒得学跳舞一样，你也懒得学恋爱。理想地、悲哀地爱，噢，朋友，这方面你肯定很在行，我不怀疑这一点，极为佩服！可你也要学着爱得普通一点，爱得有点人情味。已有了开端，不久就能让你去参加正式的舞会了。喂，你还要先学波士顿舞，我们明天开始学。我三点来。另外你喜欢这里的音乐吗？"

"很棒。"

"你瞧，这也是个进步，你又学会了一样。在此之前你无法忍受所有这些舞曲和爵士乐，它们对你来说太不严肃，没有深度，现在你看到了根本不用很严肃地对待它们，它们可以很可爱、迷人。另外，没有帕伯罗的话整个乐队一钱不值。他领导这支乐队，督促他们。"

唱机败坏了我书房里清心寡欲的知性空气，美国舞蹈陌生、扰人，甚至是毁灭性地闯入我精心保护的音乐世界，与此同时又有新鲜的、令人担忧的、瓦解性的事物从四面八方闯入我至今勾勒得如此清晰、封闭得如此严密的生活。《论荒原狼的宣传手册》和赫尔米娜关于有千万个灵魂的教导有道理，每天除了所有旧有的，还有一些新的灵魂在我体内显现，提出要求，制造噪声，我现在像看我面前一幅画那样清楚地看到关于我至今人格的妄想。我偶然在一些能力与训练方面很强，我只认这些能力与训练，自己描绘了一个哈里的形象，过着一个哈里的生活，这个哈里原本什么也不是，只是个极细腻培育出的诗歌、音乐与哲学方面的专才——我本人整个余下的部分，其他乱七八糟的东西，其余的才能、本能和追求都让我讨厌，都被我冠以荒原狼的名字。

此间我这种妄念转变了，我的人格瓦解了，这绝不是一次愉快而有趣的冒险，相反常令人极端地痛苦，常常几乎难以忍受。我的环境不适合听唱机，它听上去确实常像鬼哭狼嚎。有时我在某家时尚饭店跳一步舞，周围全是穿着讲究的花花公子和伪君子，这时我觉得自己像是叛徒，背叛了我生命中所有曾崇高和神圣的东西。如果赫尔米娜让我一人哪怕只待上八天，那么我马上就会放弃这种费力的、可笑的花花公子的努力了。可赫尔米娜总在；虽然我不是每天看到她，但我总是被她看见，被她引导、监督、仔细查看——连我所有恼火的抗拒与逃跑念头她都笑着从我脸上读出来了。

我以前称为我个性的东西继续被摧毁，与此同时我也开始明白我为什么尽管绝望至极却还是这样极为怕死，开始意识到这种令人厌恶、可耻的惧死也是我旧有的、市民性的、虚伪的存在的一部分。迄今为止的这位哈勒尔先生是个有才华的作家，是研究莫扎特和歌德的行家和文章的作者，写过关于艺术的形而上学、关于天才与悲剧、关于人性的研究文章，文章还值得一读，他是个坐拥书城的怀旧隐者，现在他要一步步直面自我批评，指出自己哪方面做得都不好。这个有才华、风趣的哈勒尔先生虽宣扬理性与人性，反对野蛮的战争，可他在战争中没被绞死或枪毙，以他所思所想本该挨枪子儿的，他没有，而是找到了某种适应方法，当然是一种极体面、极高尚的适应，可毕竟是种妥协。另外他反对权力与剥削，可他银行里有许多工业企业的有价证券，一点不内疚地吃着利息。在所有事情上都这样。哈里·哈勒尔虽然绝妙地伪装成理想主义者和世界的蔑视者，伪装成忧郁的隐士和恼羞成怒的先知，可他基本上是个资产阶级分子，觉得过赫尔米娜那样的生活是卑鄙的，他为在饭店里虚度夜晚而生气，为在那儿乱花钱而生气，他为此感到内疚，也不渴望解脱和完善，而是相反，渴望回到舒适的时代，在那个时代里他精神上的游戏还给他带来快乐与荣誉。被他鄙视与嘲笑的报纸读者也同样渴望回到战前的理想时代，因为比起从所遭的罪和受的苦中学到点东西，其所渴望的这种生活要舒服得多。呸，真讨厌，他令人恶心，这个哈勒尔先生！可我仍紧紧抓住他或他那松动的面具，抓住他对精神的炫耀，抓住他市民般对无序的恐惧、对偶发事件（死亡也属这类）的恐惧。我满是讥讽，满是妒忌地把两个哈里进行对比，一个是将成为新人的哈里，他是舞厅中有点腼腆、有点滑稽的半吊子，另一个是以前虚假与理想化的哈里形象，此间他在这个形象上发现了所有糟糕的特征，在他看到教授家的歌德铜版画时这些特征曾让他如此反感。他自己，原来的哈里，恰恰曾是这样一个市民眼里理想化的歌德，是这样一个目光过于美好的精神英雄，散发出崇高、精神与人性的光芒如同润发膏发出亮光，差不多都被自己的灵魂贵族气打动了！该死的，这个美好的形象现在有了讨厌的破洞，理想的哈勒尔先生被可悲地分解了！他看上去像在街上遭剪径而穿着破裤子的显贵，聪明的做法是他现在该学学衣衫褴褛者的角色，可他仿佛仍把勋章挂在破衣烂衫上，哭泣着要讨回丧失的尊严。

我总是碰到音乐家帕伯罗，我对他的看法不得不修正，因为赫尔米娜那么喜欢他，热衷于找他做伴。我把帕伯罗作为一个漂亮的废物记住了，一个渺小的、有点爱虚荣的纨绔子弟，一个快乐的乖孩子，愉快地对着他那买自年货集市的喇叭吼叫，很容易管教，夸他两句，给他块巧克力即可。可帕伯罗不问我的评价，就像我的音乐理论一样对他来说无所谓。他客气地、友善地听我说话，始终面带笑容，然而从来不真正回应。尽管如此，看来我还是唤起了他的兴趣，他明显地尽力讨我喜欢，向我示好。在又一次毫无结果的聊天时我被激怒了，差点动粗，这时他惊慌失措地、伤心地看着我的脸，拿起我的左手抚摸着，从一只镀金的小盒子里拿出点东西让我吸，说这对我有好处。我用目光问赫尔米娜，她点头同意，我拿过来吸了。我确实马上精神多了，兴致也高多了，粉末里大概有点可卡因。赫尔米娜告诉我说帕伯罗有许多这样的药剂，是从秘密渠道搞到的，有时他把这些东西给朋友们，他在药剂的调制与剂量配比方面是大师，他有镇痛药、睡眠药、美梦药、寻欢药与恋爱药。

有一次我在大街上碰到他，是在码头，他立即和我结伴而行。这次我终于能让他开口说话了。

他正摆弄着一根黑银色细棍。"帕伯罗先生，"我说，"您是赫尔米娜的朋友，这是我为什么对您感兴趣的原因。可我不得不说跟您聊天真的不易。我试过多次想和您谈谈音乐——我挺想听听您的看法、您的不同意见和您的评价，可您不屑给我一个哪怕最微不足道的回应。"

他开心地看着我笑，这次倒没有不回答，而是冷静地说："是这样，依我看音乐根本不值得谈，我从来不谈音乐。您的话很睿智，很对，我又能回答什么呢？您说的一切都很有道理。可您瞧，我是音乐家，不是学者，我不相信说得有道理的话在音乐中有一丁点价值。音乐中重要的不在于你说得在理、你有欣赏力、你受过教育等这一切。"

"就算这样吧。可到底什么重要呢？"

"重要的是你做音乐，哈勒尔先生，重要的是尽可能好、尽可能多、尽全力做音乐！就是这样，先生！如果我把巴赫与海顿的全部作品记住，对它们能说最睿智的话，那还是对任何人没用。可如果我拿起萨克斯管，吹奏一曲流畅的西迷舞，不管吹得好坏，毕竟舞曲能给人们带来快乐，流入他们的大腿与血液中，只有这个是重要的。休息较长时间后音乐再起的瞬间您看一下舞厅里人们的脸吧——他们的眼睛闪闪发光，腿在颤动，开始露出笑脸！人们为此而做音乐。"

"很好，帕伯罗先生。可不是只有感性音乐，还有知性音乐。不仅只有眼下正演奏的音乐，而且还有不朽的音乐，这种音乐就算没在演奏也继续存在着。一个人可以独自躺在床上，脑子里奏响《魔笛》[1]或《马太受难乐》[2]中的旋律，这样在没任何人吹笛或拉小提琴的情况下也能享受音乐。"

"那倒是，哈勒尔先生。连伊尔宁和瓦伦西亚的音乐[3]每晚都被许多孤独与爱空想的人不出声地哼着，连办公室里最可怜的打字员都记住了最新的一步舞曲，按它的节奏敲打键盘。您说得对，所有这些孤独的人，我乐意看到

---

1 莫扎特的作品。
2 巴赫的作品。
3 两者都可能是乐曲名，也可能是作曲家名。

160

所有这些人都有无声的音乐，随便什么，伊尔宁的，《魔笛》，或瓦伦西亚的音乐都行！可这些人到底是从哪儿听到他们孤独、无声的音乐的呢？在我们这儿，在音乐家那里。在人们回到家里想到这段音乐，做梦都能梦到这段音乐之前，得先演奏它，先让人听到，它得流入血液中。"

"同意，"我冷冰冰地说，"但不可以把莫扎特与最新的狐步舞相提并论。您是给人们演奏神圣、永恒的音乐还是听过就忘的廉价音乐，那不是一回事儿。"

帕伯罗从我声音中听出了我的激动，这时他马上摆出一副可爱的面孔，抚摸着我的胳膊安慰我，说话的声音变得异常温和。

"我说，亲爱的先生，在等级问题上您可能完全有道理。您想把莫扎特、海顿和瓦伦西亚放在什么等级就放在什么等级，我对此当然不反对！我完全无所谓，我不能对等级裁决，没人问过我这个。莫扎特的音乐也许一百年后还演奏，瓦伦西亚的也许两年后就没人演奏了，我想这些完全可以让亲爱的上帝决定，他是公正的，掌控我们所有人的寿命，也掌控每种华尔兹、每种狐步舞的寿命，他肯定做出正确的事儿。可我们音乐人，我们必须做我们自己的事儿，做属于我们责任与任务的事儿：我们得演奏眼下人们渴望听到的音乐，我们必须尽可能地把它演奏好，要美，要有力。"

我叹着气不再跟他理论。这种人难弄。

某些时候新与旧、苦与乐、畏与喜很神奇地掺和在一起。我一会儿在天堂，一会儿在地狱，大多数情况下同时在两处。老哈里和新哈里一会儿激烈地争执，一会儿彼此和平共处。老哈里有时像彻底死了，死后被埋葬了，可突然他又站在那儿发号施令，实施暴政了。他好为人师，而新的、年轻的小哈里却很害羞，不爱说话，受人排挤。其他时候年轻的哈里则掐住老哈里的喉咙，狠狠地掐，能听到呻吟，他们在作殊死斗争，总让人想到刮胡刀。

可痛苦与幸福常掺在一起如一个浪头向我砸来。这样的情形我首次是在某个晚上体验到的，那是我第一次在公开场合试着跳舞几天后的一个晚上，我进卧室后发现漂亮的玛丽亚躺在我床上，令我极为吃惊、诧异、惊恐与欣喜。

赫尔米娜迄今为止总让我吃惊，但最令我吃惊的就是这件事了。因为我任何时候都不怀疑是她给我送来了这只极乐鸟。那个晚上我例外地没和赫尔米娜在一起，而是到大教堂听了教堂古乐，一场很好的演出——这是一次美妙而忧愁的出游，去到我以往的生活中，去到我青春的风景里，去到理想的哈里的领域。教堂有漂亮的网状拱顶，拱顶在黯淡的灯光摇曳时幽灵似的活灵活现地来回摇荡，我在高大的哥特式大堂里听了布克斯泰胡德[1]、帕赫贝尔[2]、巴赫和海顿的音乐，重走了喜爱的老路，再次听到一个演唱巴赫歌曲的女歌唱家的美妙歌声，我和她曾是朋友，一起看过许多十分精彩的演出。古老音乐的声音，它无穷的尊严与神圣唤醒了我青年时代心灵的所有幸福感、欣喜与激情，我伤心地、若有所思地坐在教堂高高的合唱室里，在这崇高的极乐世界里做客一小时，这里曾是我的故乡。听到海顿的一个二重奏时我突然热泪盈眶，等不到音乐会结束和再与女歌唱家见面（噢，我曾在这样的音乐会结束后与艺术家们度过了多少个愉快的夜晚呀！），就悄悄从大教堂溜了出来。我疲惫地行走在夜幕下的街巷里，时不时从各饭店窗子里传出爵士乐乐队演奏的有关我现在生活的旋律。噢，我的生活变成怎样一个混乱不清的谜团呀！

在这次夜行中我也对我和音乐的奇特关系想了好久，

1　布克斯泰胡德（1637—1707），瑞典裔德国器乐家和作曲家。
2　帕赫贝尔（1653—1706），巴赫的老师。

再次认识到这种既令人动容又令人痛苦的关系是整个德国精神的天命。在德国精神中是母权统治的，这是对自然天性的依附，不同于其他任何一个民族，它以音乐的霸权形式体现出来。我们知性人不是以男子汉的气概对此予以反抗，不是服从精神、逻各斯和话语，聆听它们的声音，而是所有人都梦想着拥有一种没有话语的语言，它道出无法诉说、表现出不能塑造的东西。知性的德国人不是尽可能忠实可靠地使用工具，而总是从事反对话语、反对理性的活动，喜欢上了音乐。德国精神完全沉迷于音乐中，沉迷于美妙幸福的声音形象中，沉迷于从不急于变为现实的奇妙而美好的感觉与情绪中，误了大多数真正的任务。我们所有知性人不以现实为家，对它是陌生的、敌对的，因此在我们的德国现实中，在我们的历史上，我们的政治中，我们的公众舆论中，精神的作用也是微乎其微。事实上我常思考这个问题，并非不时时感到有种强烈的愿望要参与一下对现实的打造，认真地、负责任地干一次，别总是从事美学活动，经营精神上的艺术行当，可总是以心灰意冷，以屈服于厄运而告终。将军与重工业家先生们说的一点不错：我们这些"知性人"毫无用处，我们这一帮子人只会充满智慧地高谈阔论，我们是多余的、不谙世事的、不负责任的一群。呸，见鬼去吧！刮胡刀！

脑子里全是这些想法，音乐的余韵萦绕耳际，心里充满极大的渴望，渴望生活，渴望现实，渴望意义，渴望得到一旦失去不可复得的东西，心因悲伤和拥有这些渴望而深重，想着想着我最终到了家，上了楼梯，点上起居室的灯，想读点书可读不下去，想着约定，我不得不明晚去塞西尔酒吧喝威士忌，跳舞，这让我不仅感到恼怒、愤恨自己，也恼怒、愤恨赫尔米娜，就算她是好意，是由衷的，就算她是个绝妙的人——她当时最好让我毁掉，而不是把我拉到这杂乱的、陌生的、乱轰轰的游戏世界里，拉我下水，我在这里反正始终是个陌生人，在这里我身上最好的东西也会堕落，我还是会受苦受难！

于是我伤心地关了灯，伤心地走进卧室，伤心地开始脱衣，这时一股不同寻常的香气令我生疑，闻起来有点像香水，我四下这么一看，看见美丽的玛丽亚躺在床上，她微笑着，有点局促，睁着大大的蓝眼睛。

"玛丽亚！"我说。我第一个念头就是如果房东知道了会跟我解约的。

"我来了，"她小声地说，"您生我气吗？"

"不，不，我知道赫尔米娜给了您钥匙。现在已这样了。"

"噢，您生气了。我就走。"

"别走，美丽的玛丽亚，留下吧！只是我恰好今晚特别伤心，今天开心不起来，也许明天心情能好起来。"

我向她略微弯下腰，这时她用她那又大又结实的双手抱住了我的头，往下拽，长久地吻我。然后我坐到床上紧挨着她，握着她的手，请她小点声，因为不能让别人听到我们说话。我往下望着她那漂亮丰满的脸，这张脸既陌生又神奇，像一朵大花躺在我枕上。她慢慢地把我的手放到她嘴上，又放到被子下，放在她温暖的、静静呼吸的酥胸上。

"你不用开心，"她说，"赫尔米娜已告诉我说你很苦恼。每个人都明白这个。喂，你还喜欢我吗？最近跳舞时你可爱得很呢。"

我吻她的眼睛、嘴唇、脖子和乳房。刚才我还在想赫尔米娜，既苦恼又埋怨，现在我手捧着她的礼物，很是感激。玛丽亚的抚摸无损于我今天听过的美妙音乐，与它相称，是在践行它。我慢慢地把被子从漂亮女人身上掀开，吻她吻到脚。当我躺到她身边时，她花儿一般的脸对着我笑，一副无所不知和亲切的样子。

这一夜我在玛丽亚身边睡得不是很长，可像孩子似的睡得很沉，很好。中间醒来时我吮吸着她生气勃勃的美丽青春，在低声细语的聊天中了解了许多她和赫尔米娜生活中值得知道的事情。我很少知道这种人和这种生活，只是以前在剧院时而碰到过类似的人，男女都有，他们一半是艺术家，一半是贪图享乐的上流社会人士。现在我才稍微看到了一点这种奇怪的、这种异常无辜又异常堕落的生活。这些姑娘，大都出身贫寒，太聪明太漂亮，不会将她们的全部生活仅限于随便找个什么待遇差、毫无乐趣的职业上，她们都是有时打零工，有时靠她们的妩媚与可爱谋生。她们有时在打字机前坐上几个月，有时做富有的享受男的情妇，得到零花钱和礼物，有时穿裘皮，行有汽车，住豪华宾馆，其他时间则住阁楼，虽然也许有人出高价能赢得她们为妻，但总体来说她们并不一门心思地追求婚姻。她们中有些人在爱情中没贪欲，只是不情愿地施爱，讨价还价时尽可能讨到最高价位。另外一些人爱情天赋不寻常，需要爱情，玛丽亚就属于这类人。她们中大多数人有与两性谈情说爱的经验；她们只为爱情而活，除付钱的正式朋友外，总还有其他的爱情关系活跃着。这些蝴蝶孜孜不倦、忙碌、充满忧虑、轻佻、聪明，但是莽撞，过着既天真又诡诈的生活，她们独立，不是向每个人出卖肉体，期待着她们自己的好运与好天气到来。她们爱恋生活，但不像市民那样很依恋生活。她们每个人总是准备着跟随一个童话里的王子到他的宫殿去，却多少意识到结局会悲惨、悲伤。

玛丽亚教会我许多东西——在那个奇特的初夜和后来的几天里——不仅有好玩的新花样和感官的喜悦，而且还有新的理解、新的认识和新的爱情。舞厅与娱乐厅的世界、影院的世界、酒吧和宾馆茶座的世界，对我这个孤家寡人和唯美主义者来说仍旧是有点劣等、禁忌和有损人格的东西，对玛丽亚、赫尔米娜和她们的同道来说就是世界，既不好也不坏，既不值得追求也不值得憎恨，在这个世界里她们朝思暮想的短暂生活很兴旺，在这个世界里她们熟门熟路，经验丰富。她们喜欢一杯香槟酒或烤肉馆的一个特殊拼盘，就像我们这号人喜欢一个作曲家或一个诗人一样；我们这种人为尼采或汉姆生[1]而狂，被他们打动、感动，她们则把同样的感情挥霍到一支新的流行舞曲，或一首爵士歌手唱的多愁善感而过分伤感的歌上。玛丽亚给

---

1 汉姆生（1859—1952），挪威作家，1920年诺贝尔文学奖得主。

我讲起那个漂亮的萨克斯管吹奏员帕伯罗，讲他有时给她们唱的一首美国歌，她带着着迷、欣赏与喜爱的神情讲这些事儿，她这股着迷劲令我感动，较之某个受过很高教育的人享受十分高雅艺术时的狂喜劲儿，前者给我的感动要大得多。我乐意跟着发狂，不管是什么歌；玛丽亚亲切的话语，她激情绽放的目光，把我的美学撕开了大大的裂缝。有些美的事物，一些为数不多的超美的事物，它们在我看来很崇高，这是不容置疑、不容争辩的，其中首推莫扎特，可界线在哪儿呢？我们这些行家与批评家在年轻时不也都挚爱过我们今天觉得成问题的、糟糕的艺术作品和艺术家吗？我们在李斯特、瓦格纳问题上，在许多人甚至在贝多芬问题上不也是这样吗？玛丽亚像孩子似的被美国歌曲深深打动，难道这不也是纯粹的、美的、确实崇高的艺术体验吗？难道和某个参议教师感动于《特里斯坦》[1]或一个指挥家指挥第九交响乐时狂喜不已不一样吗？难道这不是很奇怪地与帕伯罗先生的观点相称吗？他说得不对吗？

玛丽亚好像也很喜欢这个帕伯罗，这个俊友！

---

1 这里可能指瓦格纳的歌剧。

"他是个帅哥，"我说，"我也很喜欢他。可是你告诉我，玛丽亚，你怎么可以同时还喜欢我这样一个无聊的老家伙呢？我不英俊，都有白发了，不会吹萨克斯管，不会唱英文爱情歌曲。"

"别说这么难听！"她斥责道。"这是很自然的，我也喜欢你，你也有美好、可爱、特别的地方，你不可以是另外一种样子。你不应说这种事儿，还要人家解释。你瞧，当你吻我脖子或耳朵时，我能感觉出你爱我，喜欢我；你用有点羞涩的方式亲吻，这就告诉我你喜欢我，你因我漂亮而感谢我。我很喜欢这样。然后我又喜欢上另外一个男人身上完全相反的东西，他好像不喜欢我，吻我像是他的赏赐。"

我们又睡着了。我又醒了，继续用胳膊搂着她，我漂亮而美丽的花朵。

真奇妙！——美丽的花朵可是赫尔米娜送给我的礼品！那个她一直站在她背后，她也呆呆地被她缠绕着！在此期间我忽然想到了埃里卡，我那远方的可恶的情人，我那可怜的女友。她和玛丽亚一样漂亮，虽然没这么活跃，没这么洒脱，没这么多细微而独到的做爱技巧，她有那么片刻像图像立在我面前，清晰可见，令人心痛，她被宠爱着，深深地与我的命运交织在一起，图像又轰然倒下，入睡，遗忘，遗忘在并不怎么悼念的远方。

　　就这样我生活中的许多画面在这美妙的温柔之乡浮现在我——那个长久以来生活得空虚、贫穷、没有图像的我——的眼前。现在，魔幻般地受性爱的启发，图像从深处的泉眼汩汩涌出，丰富多彩，有时我的心因陶醉与悲伤而停止跳动，心陶醉与悲伤是因为我生活的图像厅是那么丰富，可怜的荒原狼的灵魂充满着那么多高高的永恒之星和星座。童年和母亲温柔地、满脸幸福地看过来，就像一座远山，青山如黛，到了极致，勾人魂魄；我友情的合唱发出清晰、金属般的声音，合唱始于传奇般的赫尔曼，他是赫尔米娜的灵魂兄弟；许多女人的画像漂了过来，芳香、超凡，水灵灵就像出水盛开的水中花，她们都是我爱过、渴望过、赞美过的，这些人我只能够接触到为数不多的几个，并曾试图占有她们。与我生活了多年的太太也出现了，她教会了我许多东西，如友谊、冲突和断念，虽然生活有种种不如意，但我心中一直对她怀有深深的信任，这信任清晰地留在记忆中，直到她离我而去的那一天。她在拼命反抗中突然逃离，离开了神志不清与病中的我，我知道我一定爱她爱得很深，一定对她很信任，以致她的背信

171

弃义可以深深地刺痛我，整整一生。

　　所有这些图像——有几百个，有的有名，有的无名——都出现了，从这个爱情之夜的喷泉中涌出，年轻鲜活，我再次知道我在贫困中好长时间忘记了什么，知道它们是我生活的财富与价值，它们无法摧毁，继续存在，是已成恒星的经历，这些经历我可以忘记，但无法销毁，一连串的经历是我生活的传说，它们的星光是我存在的不可毁灭的价值。我生活艰辛、迷失和不幸，它的结果是放弃与否定，我的生活具有所有人类的命运之盐的苦涩，但它很丰富，值得自豪，就是在贫困中我过的也是国王的生活。就算陨落前的一小段人生还这样可悲地虚度，但这生活的核心是高尚的，它有憧憬和激情，与几芬尼的得失无关，而是与恒星有关。

　　从那一夜到现在又有段时间了，自那时起发生了许多事，许多事儿都变了，对那一夜我只有零星点滴的回忆，我又回忆起我们之间说的每句话、深情温存的每个手势与动作、从做爱后疲乏的沉睡中醒来时星光灿烂的瞬间。可就是那一夜，自打我走向毁灭以来我自己的生活第一次又用极为闪亮的眼睛看着我，我又认识到偶然是天命，我把自己存在的废墟场看成是绝好的残留碎片。我的灵魂

172

又呼吸了，我的眼睛又看见了，有那么个片刻我有强烈的预感：只需把分散的图像世界整合到一起，只需把我哈里·哈勒尔式的荒原狼生活作为整体提升为图像，我就能自己走进图像世界，成为不朽。难道这不是目标吗？根据这个目标，每个人的生活不都意味着起始与尝试吗？

早晨玛丽亚跟我一起吃完早点，然后我得把她偷偷带出门，成功了。就在当天，我在附近城区为她和我租了一个小房间，只用于我们的约会。

我的舞蹈老师赫尔米娜看起来真尽职，我不得不学跳波士顿。她很严格、强硬，不免除我的课，因为已决定和我一起去参加下次假面舞会。她向我借钱买衣服，可不透露买什么衣服。仍不能去看她，哪怕问问她住哪儿都不让。

假面舞会前这段时间，大概有三周吧，我过得特别美。玛丽亚像是我过去情人中第一个真正的情人。我一直要求我以前爱过的女人要有智慧和修养，但不曾注意到哪怕最有智慧、相对而言受过最好教育的女人从来没给我心中的逻各斯以应答，而总是与它对立；我把我的问题和想法带到女人们那儿，在我看来如果一个姑娘几乎没看过书，几乎不知道阅读是什么，不能区分一首曲子是柴可夫斯基的还是贝多芬的，那么我爱她不可能超过一小时。而玛丽亚没受过教育，她不需要走这条弯路，不需要替代世界，她的问题都源自性感。她的本领与任务就是尽可能多地获得感官与情爱的幸福，以她既有的性感、特殊的身材，以她的肤色、头发、声音、皮肤和火辣劲儿，以她的每种能力、她线条的每道曲线、她身体做出的每个最柔情的造型，都要在爱她的男人那里得到回应、理解，和活生生的、使人快乐的对手戏，或使其变戏法似的变出来。那次，即第一次羞答答地和她共舞时，我就感觉到了这一点，嗅到了芳香并被它迷得神魂颠倒，这芳香来自绝妙的、修炼得令人欣喜的感性生活。赫尔米娜这个无所不知的女子把玛丽亚送到我身边也绝非偶然。她的芳香和整个标签都是夏天般的，有玫瑰的气质。

我没那福气成为玛丽亚唯一或偏爱的情人，而是许多情人之一。她常常没时间陪我，有时下午过来一小时，有几次在我这儿过夜。她不想要我的钱，大概是赫尔米娜在后面指使。可礼物她很乐意接受，比如我送她一个红漆皮的新的小钱包时，里面也许放上两三个金币。此外送她红色小钱包时我被她大大笑话了一番！它挺讨人喜欢，可这是滞销货，式样早已过时。到目前为止我对这些东西还没有对什么爱斯基摩语知道得更多、懂得更多，但我向玛丽亚学到了许多，尤其明白了这些小玩艺儿、时尚和奢侈品不是一钱不值、劣等的东西，并非贪财的工厂主和商人们的发明，不是的，它们还是有道理的，是漂亮的、各式各样的，它们组成了物的小世界或者说物的大世界。这些物件生产出来的唯一目的就是为爱情服务，让感官变得细腻，唤醒死气沉沉的周遭世界，魔术般地赋予它以崭新的情欲器官，从粉扑和香水到舞蹈鞋，从戒指到香烟盒，从裙带搭扣到手提袋，莫不如此。这手提包非手提包，钱包非钱包，花非花，扇非扇，一切都是情欲、魅力与妩媚的生动材料，是信使、黑市商人、武器和助威呐喊。

我常常想玛丽亚到底爱谁，我想她的最爱是吹萨克斯管的小伙帕伯罗，他有着迷惘的黑眼睛和细长、苍白、高贵、令人忧郁的双手。我原以为这个帕伯罗在爱情上有点慢吞吞、挑剔、被动，可玛丽亚向我保证说他人虽是慢热型，可一旦爱上一个人，比任何一个拳击手或男骑师都急切、强硬，比他们更有阳刚之气、更乐意挑战。就这样我了解并知道了各种各样的人的秘密，比如我们周围的爵士音乐人、演员，一些女人、姑娘和男人，知道了各种奥秘，看到了表层下的伙伴与敌对关系，我（在这世上是个没任何关系的作为外人的"我")慢慢熟悉了周围环境，参与其中。我也了解了赫尔米娜的许多事情，而且我常和玛丽亚深爱着的帕伯罗先生会面。有时她也需要他的秘密药剂，她也时不时地给我搞到这些东西来享受，帕伯罗总是极热忱地为我效劳。有一次他直截了当地告诉我："您是这么的不幸，这可不好，不能这样子，真让人惋惜。您抽抽淡的鸦片烟斗吧。"我对这个快乐、聪明、天真，却深不可测的人的评价不断改变着，我们成了朋友，我没少收下他的药剂。他有点取乐似的看着我对玛丽亚的爱恋。有一次他在他房间里搞一次"庆祝活动"，是在郊区一家宾馆里的复折式顶层。那里只有一把椅子，玛丽亚和我只好坐在床上。他给我们拿来喝的，是从三个小瓶里倒在一起的利口酒，它既神秘又神奇。之后我心情极好，这时他用发亮的眼睛建议我们三人一起做爱。我断然拒绝，做这种事对我来说是不可能的，可我还是朝玛丽亚瞄了一眼，看看她对此持什么态度，虽然她马上赞同我的拒绝态度，可我还是看到她眼睛放光，意识到她对我放弃了感到遗憾。帕伯罗对我的拒绝很失望，可并没受到伤害。"遗憾，"他说，"哈里道德上顾虑太多。没办法了。做这种事有多好，多好呀！但我知道有替代方法。"我们每人得到鸦片吸了几口，一动不动地坐在那儿，睁着眼，我们仨都体验到了被他暗示的情景，在此过程中玛丽亚兴奋得直抖。之后我感觉有点不舒服，这时帕伯罗把我放在床上，给我几滴药水，我眼睛闭上了几分钟，这时感到有人轻轻地、匆匆地吻了我每个眼皮。我容忍了，装作以为是玛丽亚的吻，可我清楚地知道这是他的吻。

有一天晚上他更让我感到意外。他来到我家，说需要二十法郎，向我借。他提出的回报是这一夜我可以替代他拥有玛丽亚。

"帕伯罗，"我吃惊地说，"您不知道您在说什么。为钱而把自己的情人让给另外一个人，这在我们那儿被认为是最最丢脸的事儿。这话就当我没说，帕伯罗。"

他同情地看着我。"您不想要玛丽亚，哈里先生。好吧。您总是给自己找麻烦。如果您更喜欢这样，那么您今晚别睡玛丽亚，给我钱吧，我会还的。我急需钱。"

"要钱做什么？"

"给阿戈斯蒂诺——跟您说吧，就是第二小提琴手中的那个小个子。他生病八天了，没人照料，他一分钱也没有，现在我钱也花光了。"

出于好奇，也为了稍微惩罚自己，我跟他一起去了阿戈斯蒂诺家。他把牛奶和药送到阿戈斯蒂诺住的阁楼上，是个相当破旧的阁楼，他把阿戈斯蒂诺的床重新拍拍松，给房间通了风，把一块十分合乎规格的纱布放在他滚热的头上，一切做得迅速、体贴、熟练，就像一个优秀的护士。当晚我看到他一直在城市酒吧做音乐，直到凌晨。

我常和赫尔米娜长时间地、实事求是地谈论玛丽亚，谈她的手、肩、臀，谈她笑、亲吻和跳舞的方式。

"她给你看过这个吗？"有一次赫尔米娜问我，向我描述亲吻时舌头特殊的转动法。我请她自己做给我看，但她严肃地拒绝了。"以后再说，"她说，"我还不是你的情人。"

我问她究竟是怎么知道玛丽亚这套亲吻本事的，还有一些她生活中隐私的、只有爱恋的男人才知道的特别之处。

"噢，"她叫道，"我们不是朋友吗？你难道以为我们之间还隐瞒什么吗？我和她睡得够多的了，和她玩得够多的了。你算是找到一个好姑娘了，她会的东西比其他姑娘多。"

"可我觉得，赫尔米娜，你们彼此还是有保密的事儿。

要么，你也把你知道的有关我的一切都告诉她了？"

"没有，这是另外一回事儿，她不会懂的。玛丽亚真的很棒，你运气好，可你我之间有些事儿她一点都不知道。你的事儿我告诉她许多，那是当然，如果告诉她的太多了，你当时知道了会不乐意的——我不是得为你引诱她嘛！但是朋友，玛丽亚永远不会像我这样理解你的，其他人也不会。我也从她那儿知道了一些事情——玛丽亚了解你多少，我就知道你多少。我太了解你了，就像我们常睡在一起似的。"

又和玛丽亚在一起时我知道她心里像有我一样也有赫尔米娜，像待我一样也抚摸、亲吻、品尝和检查赫尔米娜的四肢、头发和皮肤，知道这一点后觉得很奇妙、神秘。崭新的、间接的、复杂的关系与联系出现在我面前，是新的爱情与生活的可能性，我想起了《论荒原狼的宣传手册》中上千个灵魂一说。

在我认识玛丽亚之后和参加大型假面舞会之前有段不长的时间，在这段时间里我简直幸福极了，可从来没感到这是一种解脱，是达到了极乐世界，而是清楚地感觉到这一切都是前奏，是准备，一切都在急急忙忙地往前冲，关键的事情会到来。

跳舞我学了很多，觉得可以参加这次舞会了，人们谈论它一天比一天多。赫尔米娜有个秘密，她坚持不告诉我会穿什么舞服出现。她说我会认出她来的，如果我对此不在行，她会帮助我的，但事先我什么都不能知道。她对我打算戴什么假面具也一点不好奇，我决定索性不化装。当我想邀请玛丽亚参加舞会时，她向我解释说参加庆祝活动她已有护花使者了，也真的已有入场券，我有点失望地看到我得独自一人去参加庆祝活动了。这是市里最气派的化装舞会，艺术家们每年都在地球仪舞厅举办。

这几天我很少见到赫尔米娜，可舞会前一天她到我这儿待了一会儿——她是来取我买的入场券的——在我房间里静静地坐着，然后我们聊了起来，这次聊天让我觉得很奇怪，给我留下了深刻的印象。

"你现在真的很好，"她说，"跳舞对你有好处。四星期没见过你的人几乎认不出你了。"

"是的，"我承认道，"多少年我都没有这么好过。一切都因你，赫尔米娜。"

"噢，不是因为你那漂亮的玛丽亚吗？"

"不是。她也是你送给我的。她太棒了。"

"你以前需要她这样的情人，荒原狼。漂亮，年轻，心情好，在爱情问题上很聪明，这样的人可不是那么容易找得到的。如果你不是得和其他人共享她，如果她在你这儿不总是一个匆匆过客的话，可能就不会这么好了。"

是的，这一点我也得承认。

"这么说你想要的现在都有了，对吧？"

"不，赫尔米娜，不是这样的，虽然我有了一些很美的、很令人着迷的东西，很快乐、很欣慰。我简直幸福极了……"

"我说什么来着！你还想要更多的什么呢？"

"我想要更多的东西。我不满足于幸福，我不知道拿幸福怎么办，这不是我的命数。我的命数正相反。"

"那就是不幸喽？瞧，那你可有的是，当时，就在你因刮胡刀不能回家的时候。"

"不，赫尔米娜，这是两码事儿。我承认当时我很不幸。可那是愚蠢的不幸，是无益的不幸。"

"为什么呢？"

"因为否则的话我就不必这么怕死了，我毕竟是希望死的！我所需要所渴望的不幸是另外一种。这不幸就是让我怀揣着热望遭受痛苦又怀揣着欢乐去死。这是我期待的不幸或幸福。"

"明白。在这一点上我们是兄妹。可你现在有玛丽亚，找到了幸福，对此有什么可反对的呢？你为什么不满足？"

"我不是对这种幸福不满，噢，不是的，我喜欢它，我感谢它。它像多雨夏季中的艳阳天，我感到它不会长久。连这种幸福也是无益的，它会让人满足，但满足不是我的菜，它让荒原狼昏昏欲睡，让他厌倦。这不是能让我为之而死的幸福。"

"这么说非死不可吗，荒原狼？"

"我想是的！我对我的幸福很满足，还能忍受一段时间。但有时如果幸福给我一小时时间，让我清醒、让我怀有渴望，那么我所有的渴望不是始终保持这种幸福，而是再次遭受痛苦，只是要比以前好一些，没那么糟糕。我渴望痛苦，它使我准备好并乐意去死。"

赫尔米娜温柔地看着我的眼睛，目光黯淡，这种目光在她身上是可以突现的。多美多可怕的眼睛啊！她慢吞吞地、字斟句酌地说起来，声音小得我得使劲才能听见：

"我今天想告诉你点事儿，这事儿我早就知道，你也知道，可也许你还没告诉你自己。我现在告诉你我对我和你，还有我们的命运知道的事情。你，哈里，过去是艺术家和思想家，一个充满欢乐与信仰的人，总是追随伟大与永恒事物的踪迹，从不满足于美好、渺小的事物。可生活越是把你唤醒，让你清醒，你的困境就越大，你就越发陷入痛苦、忧虑和绝望中，绝望得要命，你曾熟悉、喜欢并尊崇的一切美的、神圣的东西，你对人、对我们崇高使命的全部信仰都不能帮助你，都变得一钱不值，都破碎了。你的信仰再也找不到呼吸的空气。窒息是种惨死。对吗，哈里？这是你的天命吗？”

我点头，点头，点头。

“你心中有个生活画面，有信仰，有要求，你乐意行动，遭受痛苦，做出牺牲——后来你逐渐发现世界根本没向你提出行动和牺牲之类的要求，生活不是英雄史诗，那里没有英雄角色之类的人，而是一间市民化的舒适房间，这里有吃有喝，有咖啡和针织袜，能玩杜洛克牌，能听收音机里的音乐，人们满足于这些。谁想要其他的东西，心里想着英雄般的、美好的东西，推崇伟大的作家或圣人，谁就是傻瓜，是骑士堂吉诃德。对，我以前也是这样，我的朋友！我是个很有天赋的姑娘，这样的人就得按一个崇高的榜样生活，让它对我提出很高的要求，完成有价值的

183

工作。我可以担当伟大的角色，可以是一个国王的妻子，一个革命者的情妇，一个天才的妹妹，一个殉道者的母亲。可生活只让我成为一个品位还算不错的交际花——这已够让我为难的了！我的情况就是这样。我有段时间感到无望，很长时间都在找我的不是。生活，我想，一定总是对的，如果生活嘲笑我的美梦，我想，那么就是因为我的梦是蠢的、不对的。可这一点都不管用。因为我眼睛、耳朵好使，也有点好奇心，我就很仔细地观察所谓的生活，观察我的熟人与邻居，观察五十个甚至更多的人和命运，这时我看到了，哈里：我的梦没错，百分之百地对，正像你的梦一样。是生活、现实没道理。一个像我这样的女人没有其他的选择，只能为一个挣钱人服务，坐在打字机旁可怜地、毫无意义地老去，或者为钱而嫁给这样一个挣钱人，或者成为一种妓女，这和像你一样的人不得不孤独地、胆怯地、绝望地拿起刮胡刀一样，这些都不对。在我这儿贫困也许更多的是物质上的和道德上的，在你那儿更多的是精神上的——路是一样的。你以为我不能理解你对狐步舞的恐惧、你对酒吧和舞厅的厌恶、你对爵士乐和所有毫无价值的东西的拒绝吗？我太理解了，也很理解你对政治的厌恶，对政党、媒体的废话连篇和不负责任的装腔作势感到的悲痛，对战争——过去的和未来的——感到的绝望，对人们今天想的、阅读的和建筑的方式，对做音乐的方式、庆祝的方式、从事教育的方式感到的绝望！你做得对，荒原狼，百分之百的正确，可你还得毁灭。今天这个世界很简单、舒适、满足于少量已有的东西，你对这个世界来说品位太高，太饥渴，它把你吐了出去，你对这个世界的看法多了一个维度。要想活在今朝并活得愉快，不能是像你和我这样的人。一个人如果不要听刺耳的哼唱而要音乐，不要娱乐而要快乐，不要钱而要灵魂，不要工厂而要真正的工作，不要玩耍而要真正的激情，那么我们这个美好的世界对他来说就不是故乡……"

她瞅着地上，思索着。

"赫尔米娜，"我温柔地叫她，"小妹妹，你看得真准！你还教会了我狐步舞呢！可你说像我们这样的人多了一个维度，不能活在这世上，这话是什么意思？什么原因？只是我们这个时代这样吗？还是一直这样？"

"我不知道。和世界本身没什么关系，我相信只有我们的时代这样，这只是一种病态，是眼下的不幸。领袖们紧张、有效地为下一场战争忙碌着，我们其他人在此期间跳狐步舞、赚钱、吃夹心巧克力——在这样的时代，世道看上去一定是糟糕透顶的。我们希望其他时代要好些，会更好，更富裕，更长远，更有深度，但这些帮不了我们的忙。也许一直是这样的……"

"一直像今天这样？一直只是一个政治家、黑市商人、招待员、纨绔子弟的世界？人没空气？"

"是这样的吧，我不知道，没人知道，也无所谓。可我现在想到你最喜欢的人，我的朋友，你有时给我讲起他，也给我读过他的信，就是莫扎特。他情况怎样？他那个时代是谁统治？谁捞取最大的好处？谁说了算？谁有点价值？是莫扎特还是商人？是莫扎特还是浅薄的平民百姓？他是怎么死的？怎么下葬的？我认为也许一直是这样，以后也一直会这样：人们在学校里称为'世界史'的东西，为接受教育还要背下来的内容，世界史中所有的英雄、天才、伟业和情感等——都只是骗人的东西，是老师杜撰的，是为了教育目的，为了让孩子们在义务教育阶段有点事儿可做。时代与世界，金钱与权力属于小人和浅薄的人，其他的人，其他真正的人一无所有，除了死亡，以前一直是这样，以后也会一直这样。"

"除此之外什么都没有？"

"有的，永恒。"

"你指的是后世所留名声？"

"不是，小狼，不是名声——难道它有价值吗？难道你认为所有真正纯粹的、完整的人都会成名且后世留名？"

"不是，当然不是。"

"就是说嘛，不是名声。名声只为教育存在，它是老师们的事情。不是名声，噢，不是！而是我称为永恒的东西。虔诚的人说它是上帝的天国。我在想，如果不是除了这个世界的空气还有别的空气可以呼吸，不是除了时间还有永恒的话，我们所有人，我们品位较高的人，我们有渴望的人和维度太多的人根本无法生存，这永恒就是纯粹的、真的王国。属于永恒的有莫扎特的音乐、你那些伟大诗人们的诗作，而创造了奇迹的、作为殉道者而死去并给人们树立了很好榜样的圣人们也属于永恒。但属于永恒的同样还有每个纯真行为的图像、每种纯真感情的力量，哪怕没人知道、没人看见它们，没人把它们记录并为后人保留下来。在永恒中没有后人，只有同时代的人。"

"你说得对。"我说。

"虔诚的人，"她若有所思地继续道，"对此知道得最多了。所以他们才推出圣人和他们所说的'全体圣者'。

圣者是些纯粹的人，是救世主年轻的兄弟。我们一生都在通往他们的路上，带着每个好的行为，每种勇敢的思想，每个爱。全体圣者以前是由画家表现在一片金色天空中的，光芒四射、漂亮、平和——他们就是我刚才说的'永恒'的东西。这是超越时间与表象的王国。我们属于那里，那里是我们的故乡，是我们心向神往的地方，荒原狼，所以我们才渴望死亡。在那儿你可以再次找到你的歌德、你的诺瓦利斯和莫扎特，我能找到我的圣者，克里斯托弗、尼里的菲利普等所有人。有许多圣人最初是邪恶的罪人，罪恶也可以是通往神圣的路，罪恶和恶习都是。你可能会笑，可我常常想，也许我的朋友帕伯罗也是个隐修圣人。哈里呀，我们为了回家得摸索着蹚过这么多龌龊与荒唐！没人引导我们，我们唯一的向导是乡愁。"

她最后几句话说得又是声音很小，现在房间里平和宁静，太阳正下山，让我书房里许多书脊上的金字闪闪发光。我双手捧住赫尔米娜的头，吻了她的额头，让她与我头靠着头，脸挨脸，像兄妹一样，我们就这样待了一会儿。最好就这么待着，今天不再外出。可今夜是大型舞会前的最后一夜，玛丽亚说好跟我在一起。

去找玛丽亚的路上我想的不是她，而是只想着赫尔米娜的话。我觉得这一切也许不是她自己的想法，而是我的，目光尖锐的她读出并吸收了我的这些想法，又把它们还给我，以至于它们成形后重新出现在我眼前。她说出了永恒的思想，为此我在那个时刻十分感激她。我需要这一思想，没它我既不能生也不能死。神圣的彼岸、永恒、永恒价值的世界和神性物质的世界今天又由我的女友和舞蹈老师送给了我。我不由得想到我的歌德梦，想到年老智者的画像，他这样不近人情地笑，和我开不朽的玩笑。现在我才明白歌德的笑，这是不朽之人的笑。这种笑没有对象，它只是光，只是明亮，当一个纯粹的人经历了人的痛苦、恶习、错误、激情和误解并抵达永恒、抵达宇宙空间后余下来的就是这种笑。"永恒"只是时间的救赎，在一定程度上是时间向纯洁无辜回归，是时间变回为空间。

我去我们晚上常一起吃饭的地方找玛丽亚，可她还没来。在恬静的郊外小酒馆里，我坐在摆好餐具的桌旁等待，思想仍在我们的谈话上。赫尔米娜与我之间产生的所有这些思想在我看来是这么熟悉，早已烂熟于心，它们取自我最特有的神话与图像世界！我知道不朽之人如何在没有时间的太空中生活，远离现实，成为图像，他们周围浇铸着像以太的水晶般的永恒，这个仙境明朗中透着清凉，明朗中流星四射——我是从哪儿如此熟悉这一切的？我思考着，想起了莫扎特的《遣兴曲集》和巴赫的《平均律键盘曲集》中的曲子，我觉得这些音乐中到处都有这种清凉的、星星般的明亮在闪烁，有这种以太的清澈在传播。是的，是它，这音乐就像是凝固成太空的时间，在其上空无限回荡着一种超人类的爽朗，一种永恒的神性的笑。啊，我梦中的老年歌德和这幅景象多么相称呀！倏地我听到了这种神秘莫测的笑声在我周围回荡，听到了不朽之人的笑声。我着了迷似的坐在那儿，着了迷似的从背心口袋里找出铅笔，又找纸，看见我面前有酒单，把它翻过来，在背面写下诗句，过了一夜我才在口袋里又找到它。诗句是这样的：

不朽之人

从大地山谷总有
生活的渴望冒着气向我们飘来，
重重的困苦，陶醉般的情感洋溢，
血腥的炊烟来自上千顿断头饭，
情欲的痉挛，无止境的欲望，

杀人犯的手，放高利贷者的手，祷告人的手，
被恐惧和快乐鞭打的人群
冒的气闷热，有腐烂味，没煮过，热乎，
吸进欢乐和疯狂的情欲，
咀嚼自己后吐出，
酝酿着战争和曼妙的艺术，
用臆想装饰燃烧的妓院，
缠绵着消耗着体能淫乱着穿过孩童世界那
刺眼的赶年集的喜悦，
对每个人来说都是重新从浪中升起，
同样对每个人来说它都将化为粪土。

与此相反我们相逢，
在太空满是星星闪烁的冰霜里，
不知岁月为何物，
非男非女，非老非少。
你们的罪孽你们的恐惧，
你们的谋杀你们淫荡的狂喜
对我们来说都是做戏就像旋转的太阳，
每一天对我们来说都是最长。
静静地对你们抽搐的生活点点头，
静静地朝旋转的星星看一看
我们吸进宇宙空间的冬季，

与天龙结为好友，

凉冰冰无变化是我们永恒的存在，

凉冰冰星光灿烂是我们永恒的微笑。

这时玛丽亚来了，我们一起愉快地吃了饭，之后到了我们的小屋。这个晚上她比任何时候都漂亮、火热，有激情，让我尝到了温情与情爱游戏，我感到这是女人最彻底的委身。

"玛丽亚，"我说，"今天你挥霍得像女神。别把咱俩整死，明天不是还有化装舞会吗？明天你会有怎样的护花使者呢？恐怕，我亲爱的小花，他是个童话里的王子，你会被他诱骗走，再也不会回到我身边了。你今天跟我做爱和十分相恋的人临别时做爱差不多，像是最后一次。"

她把嘴唇紧贴到我耳朵上小声说：

"别说话，哈里！每次都可能是最后一次。如果赫尔米娜要你，你就不会再到我身边来了。也许她明天就要你。"

我从来没比舞会前的这一夜更强烈地体会到那些日子的独特感受和那种奇妙无比的甘苦交织的双重情绪。我感觉到的是幸福：玛丽亚的美丽与委身，享受、抚摸、吸进上百种极妙的、美好的性感，这种性感我这么晚，年华渐老时才经历，在轻轻摇曳的享受波浪中噼里啪啦戏水。可这只不过是外壳：内部的一切充满意义、张力、命数，在我深情而温存地忙于爱情甜蜜的、令人感动的小事儿，看似沉浸在真正温暖的幸福中时，我心里感到我的天命像一匹受惊的骏马向前狂奔，尥着蹶子，匆忙朝着深渊奔去，跌跌撞撞，满是恐惧，满是渴望，满是想死的愿望。性爱令人舒服，不久前我还胆怯地、害怕地抵制这种情爱的轻率，还对玛丽亚笑容可掬的、愿委身于男人的美丽感到害怕，同样现在我对死亡感到了恐惧——但这种恐惧已知不久就会变成甘愿牺牲与拯救。

我们无语地深陷情爱游戏中，你中有我、我中有你，比任何时候都缠绵，而我的灵魂却告别了玛丽亚，告别了她对我意味的一切。通过她我学会了在结束前再次单纯地让自己率性地玩表面游戏，寻找最短暂的快乐，在性的无邪中成为孩童与动物——这种状况我以前在生活中经历过，只是少见的例外，因为感官生活与性对我来说几乎总是掺杂着罪恶的苦涩怪味，禁果味道虽甜，但令人不安，一个精神有所求的人不得不小心地吃禁果。现在赫尔米娜和玛丽亚给我展示了这个无邪的花园，而成为花园里的游人我很感激——但不久就是我继续前行的时候了，这个花园太漂亮，太温暖。我肯定会继续追寻生活之冠，继续为生活无尽的罪恶去赎罪。轻松的生活、轻松的爱情、轻松的死亡——这不合我胃口。

从姑娘们的话里我听出明天舞会中或舞会后安排了很特别的享受，可以纵欲。也许这是结束，也许玛丽亚的预感是对的，今天我们最后一次睡在一起，也许明天就开始新的命运进程！我满是难以抑制的渴望和令人窒息的恐惧，我不顾一切地搂住玛丽亚，再次不安地、贪婪地穿过她花园的所有小径与灌木丛，再次紧咬生命之树的甜蜜果实。

这一夜耽误的觉我第二天补。我早上洗了个澡，回到家，累得要死，把卧室弄暗，脱衣服时在兜里发现我写的诗，但放下了它，马上躺下，忘掉玛丽亚、赫尔米娜和假面舞会，睡了整整一个白天。当晚上起床刮胡子时我才想起一小时后假面舞会就要开始了，我得找出一件燕尾服衬衫。我心情不错地收拾完毕走出家门，要先吃点东西。

这是我需一起参加的第一个假面舞会。以前我虽然参加过类似的庆祝活动，有时也觉得活动不错，可从来没跳过舞，只做看客，我听别人讲起过这种活动，他们讲时兴致很高，听他们说他们很高兴参与这样的活动，这种热情劲在我看来总是很可笑。可今天舞会对我来说也是件事儿，我为它感到高兴，带着几分紧张和不安。因为我不用带女士去，就决定晚点去，赫尔米娜也是这样建议的。

"钢盔"，我曾经的避难所，失望的男人们晚上闲坐在这里喝酒，单身汉们在这里玩耍，这地方我最近很少来，它与我现在的生活方式不符。可今晚它自然而然地又把我吸引了过来；现在命运与告别的心绪笼罩着我，我既害怕又高兴，在那种情绪中我生活中的所有站点与纪念场地再次有了往事那种令人心痛的美丽光泽，烟雾缭绕的小小酒馆也是如此，不久前我还是这里的常客，不久前在这里喝一瓶本地葡萄酒这种简单的麻醉剂足以让我回到孤床上再睡一宿，让我又能忍受一天的生活。打那时起我品尝过其他药，更强烈的刺激，津津有味地饮过更甜的毒药。我笑着走进陈旧的酒铺，迎接我的是老板娘的问候和沉默不语的常客们的点头招呼。里面的人向我推荐并端上来烤嫩鸡，新鲜的阿尔萨斯葡萄酒流进土里土气的厚玻璃杯里，声音亮脆，干净的白色木桌和旧的黄色护墙板友好地望着我。我坐下吃饭喝酒时心中涌起苍老与为告别而庆祝的感觉，这种甜蜜的、痛心而真挚的感觉是与我以前生活的所有场所与事物融为一体的感觉，这种融合从未彻底化解，但化解时机已成熟。"现代"人称这是多愁善感；他不再喜欢这些东西了，连他至高无上的东西，他的汽车也不喜欢了，他希望尽可能快地更换更好的牌子。这种现代派的人潇洒、能干、健康、冷静、精悍、卓越，他在下次战争中会证明自己是好样的。我对此不感兴趣，我既不是现代派的，也不是老派的，我是脱离时代的人，游离的人，接近死神，乐意去死。我不反对多愁善感，在我焦枯的心里还能感到类似的情感，对此我很快乐很感激。我沉浸在老酒馆的回忆和与笨重旧椅子的亲近感中，沉醉于烟与酒香中，沉醉于一丝丝习惯的、温暖的、恰似故乡的氛围中，一切对我来说都有这种模糊感。告别很好，让人心情温和。我喜欢我的硬座、我的有乡土气息的杯子，喜欢阿尔萨斯酒凉爽和有果香味道，喜欢我熟悉这房间里的一切和每个人，喜欢精神恍惚闲坐着的酒徒和失望者的脸，很长时间我曾是他们的兄弟。我在这儿感到的是市井的多愁善感，略微掺杂点孩童时代的老式酒馆的浪漫的芬芳，孩童时代酒馆和烟酒还是禁止的、陌生的、美好的东西。可没有荒原狼起身龇着牙、咧着嘴要把我的多愁善感撕成碎片。我平和地坐在那儿，被往事，被一个其间已陨落的天体发出的弱光映红了脸。

这时来了一个卖炒栗子的街头小贩，我买了一把。又来了一个卖花的老太太，我买了几朵丁香花送给了老板娘。我正要付钱，可没摸到熟悉的上衣兜，这时我才记起穿的是燕尾服。假面舞会！赫尔米娜！

时间还太早，我下不了决心现在就去"地球仪"的大厅。尽管这样寻欢作乐，我也感到了近来我的状况是怎样的，我感到有些抵触和顾虑，反感踏进人满为患、嘈杂的大房间，感到在陌生氛围里、在花花公子哥面前跳舞时我像个学生似的害羞。

我溜达着走过一家影院，看见光束和彩色巨型海报射出光芒，往前走了几步，又折回，走了进去。我可以十分安静地在这里的黑暗中坐到十一点左右。被手拿风灯的男童引领，我跌跌撞撞穿过门帘走进黑咕隆咚的大厅，找到座位，忽然间置身于关于《旧约》的电影中。这是那种号称不是为了票房而是为了高尚和神圣目的、投入巨资并精美制作的电影，下午场甚至还有学生们在宗教老师的带领下来看的。这里上演的是关于摩西与在埃及的以色列人的故事，动用了大批人、马、骆驼，启用了金碧辉煌的宫殿，可看到法老的光辉及犹太人在酷热的沙漠里的艰辛。我看见了摩西，他有点按沃尔特·惠特曼的样板进行了美化，是个出色的戏剧摩西，他挂着长拐杖，迈着佛旦[1]的步伐，风风火火、闷闷不乐地走过沙漠，走在犹太人前面。我看到他在红海边向上帝祈祷，看见红海左右分开，辟出一条路，这条狭路出现在耸立的水山之间（这种场面电影人是以什么方法拍的，由牧师带领来看这部宗教电影的接受坚信礼的青年们可能会长时间地对此进行争论），我看到先知和畏惧的人民迈步走过，看到他们后面出现了法老的战车，看到埃及人在海边受惊愣住了，然后勇敢地走进水里，看到穿着华丽金铠甲的法老和他所有的人马上方的大水如排山倒海，这让我想起亨德尔为两个男低音写的精美二重奏，乐曲极美地歌颂了这一事件。我还看到摩西上了西奈山，这个阴郁的英雄来到阴森森的岩石荒野上，看到耶和华在那儿借助暴风雷雨和灯光信号向他授十戒，而在此期间他卑鄙的人民在山脚下架起金犊，尽情取乐。跟着别人看这一切我感到诧异，不可思议，花了门票钱在这里看圣史、历史上的英雄和奇迹，这是为满怀感激之情、

1　北欧神话中的主神。

静静吃着自带小面包的观众放映的，这些东西曾让我们在童年初次朦朦胧胧猜到有另外一个世界、有一种超凡的东西存在，这是这个时代生产的大量垃圾与文化大甩卖中一个小小的、"绝美的"特殊画面。天哪！为了避免这种肮脏的事情发生，当时除了埃及人外，犹太人和其他所有人最好马上灭亡，真该体面地惨遭非命，不要碰到我们今天这种可怕的假死，这种半死不活的死法。岂有此理！

我对假面舞会有着隐隐的心理障碍，不愿承认对它的胆怯，这些并没因看电影和电影的刺激而变小，而是令人不快地增大了，我心里想着赫尔米娜，最终不得不打起精神乘车去了"地球仪"舞厅，走了进去。来晚了，舞会早已开始，正在热火朝天地进行，我还没脱掉衣服，就立刻头脑清醒地、畏畏缩缩地陷入疯狂的、熙熙攘攘的假面具中，有人亲昵地撞撞我，姑娘们邀我去香槟酒屋，小丑拍拍我的肩膀，用"你"称呼我。我一律不予理睬，在拥挤的大厅里费劲地挤到衣帽间，我拿到存衣号码，十分小心地把它放到兜里，心想着如果我受不了喧闹的话也许一会儿就用得着它。

大楼所有的房间都在欢庆，所有的大厅，连地下室都有人在跳舞，所有的走廊和楼梯都涌动着假面具、舞蹈、音乐、嬉笑和追逐打闹。我不安地悄悄走过人群，从黑人乐队走到乡村音乐，从光芒四射的宏伟主厅走到过道和狭窄的楼梯，走进酒吧，走到吧台，走进香槟酒屋。墙上大多是很年轻的艺术家们的怪诞而有趣的涂鸦。都在这儿了，艺术家、记者、学者、商人，当然还有城市的整个上流社会。帕伯罗先生坐在一支乐队里，激情四射地吹着他的弯管；当他认出我后，向我大声唱出他的问候。我被人群推搡着到了各个房间，一会儿上楼一会儿下楼。地下室的一个过道被艺术家们布置成地狱模样，一支魔鬼乐队在里面疯狂地击鼓。我慢慢开始四下张望寻找赫尔米娜和玛丽亚，多次费力地挤到主厅，可每次都走错或逆人流而行。到了午夜我还没找到任何人；我还没跳舞就已经热得发晕了，一屁股坐到附近的椅子上，周围都是陌生人，我要了酒，发现参加这种喧闹的庆祝活动不合像我这样老头的胃口。我心灰意冷地喝着杯中酒，盯着女人们裸露的玉臂和后背看，看到许多荒诞的假面人飘忽而过，我任人挤碰着，沉默地把几个想坐在我腿上或想和我跳舞的姑娘打发走。"坏脾气的老家伙。"一个姑娘叫着，她说得对。我决定喝点酒给自己壮壮胆，振作一下情绪，可酒我也觉得不好喝，几乎连第二杯都没喝完。渐渐地我感到荒原狼站在我身后吐出了舌头。我精神状态不好，这儿不是我待的地方。我怀着最好的意图而来，可在这儿快活不起来，嘈杂闹腾的快乐与欢笑、周围整个的疯狂劲儿，在我看来既愚蠢又勉强。

于是在一点钟我失望地、生气地要溜回衣帽间，好穿上大衣走人。这是一次失败的经历，我又倒退而成为荒原狼，赫尔米娜不太会原谅我的，可我没法不这样。我费劲地穿过拥挤的人群，往衣帽间走时再次仔细四下看看，难道还是看不到一个女朋友？没找到。于是我站到窗口，栏杆后为人和善的男子已伸手要我的号码，我掏背心兜——号码不见了！见鬼了，偏偏又碰到这样的事。我好几次掏过兜，伤心地走过各大厅时掏过，坐着喝淡而无味的酒时掏过，而犹豫是不是离开时在兜里摸到过这块扁扁的圆牌。现在它却不见了。一切都跟我对着干。

"号码丢了？"我身边一个穿红黄相间衣服的小鬼尖叫着问我。"给，伙伴，你可以拿我的。"说着把号码递给了我。当我机械地接过来在手指间转动它时，机灵的小家伙已不见了。

可当我把小圆纸板币拿到眼前想看号码时，发现上面根本就没号码，而是写着很小的潦草字。我请衣帽间的男子稍等，走到最近的吊灯下细看。上面胡乱写着一些东西，是用小字号的草书字母书写的，很难辨认：

今夜四点起魔幻剧院开放
——只为疯人开放——
入内会失去理智。
非人人可入。赫尔米娜在地狱。

偶尔提线会瞬间从玩偶人手中脱落，木偶陷入短暂、僵直的死亡与迟钝，然后它又苏醒了，又能玩耍、跳舞、做动作了；我刚才也像木偶一样提线被扯断，还疲惫地、索然无味地、年老体衰地逃离鼎沸的人群，这会儿又跑了回来，又有了活力和激情，变得年轻。从来没有一个罪人是急着赶着下地狱的。刚才漆皮皮鞋还挤我脚呢，香水味浓郁的空气还让我作呕，酷热还让我疲劳呢；现在可倒好，我迅速地、步履轻盈地以一步舞的节奏跑过所有大厅，向"地狱"跑去，感到空气中充满魔幻，我被热浪、被所有激情澎湃的音乐、被令人眩晕的色彩、被女人玉肩散发的芳香、被几百人的狂喜、被笑声、被舞蹈节奏、被所有欣喜若狂的眼睛放出的亮光摇荡着、承载着。一个西班牙舞者舞到我怀里："跟我跳吧！"——"不行，"我说，"我得下'地狱'。可你吻我一下我是乐意接受的。"假面具下的红唇凑了上来，亲吻时我才认出是玛丽亚。我紧紧把她搂在怀里，她的丰唇像一朵夏季盛开的玫瑰。我们在嘴唇还相互粘着时就迫不及待地跳起舞来，从帕伯罗身边跳过，他陶醉地吹他那音调轻柔的萨克斯管，喜形于色，他漂亮的动物目光半发呆地在我们身上打转。还没等我们跳上二十步音乐就停了，我不情愿地把玛丽亚从手中放开。

"我真想再和你跳一遍，"我说，醉心于她的体温，"再跳几步，玛丽亚，我爱上你漂亮的胳膊了，让我再搂一会儿它吧！可你瞧，赫尔米娜在喊我呢。她在'地狱'。"

"我想到这个了。再会，哈里，我仍爱你。"她告别后离开了。夏季玫瑰如此成熟，如此芳香，散发的味道完全是告别，是秋季，是命运。

我继续走，穿过长长的走廊，走廊上都是温存的拥挤的人群，我下楼来到地狱。那里漆黑的墙上点着很亮的灯，很刺眼，魔鬼乐队在激情演奏。一把高高的吧椅上坐着一个没戴面具的帅小伙，他穿着燕尾服，用嘲讽的目光打量了我一眼。我被旋转的舞者挤到墙边，大约有二十对人儿在狭小的房间里跳舞。我既贪婪又胆怯地看着所有女人，她们大多数还戴着面具，有几个冲着我笑，可都不是赫尔米娜。帅小伙嘲讽似的从高高的吧椅上看过来。我想下一个舞会间隙赫尔米娜会来叫我的。跳舞结束了，可没人过来。

我走到设在矮小房间墙角的吧台。我在小伙坐的椅子边上排队，要了威士忌。我边喝边打量年轻男子的侧影，它看上去很眼熟很迷人，就像一幅年代久远的画，因蒙上了往事沉寂的灰尘而显得弥足珍贵。噢，我突然明白了：这不是赫尔曼吗，我青年时代的好友！

"赫尔曼。"我犹豫地叫道。

他笑笑。"哈里吗？你找到我了？"

这是赫尔米娜，只是略微改变了发型，化着淡妆，她聪明的脸既别致又苍白，从时尚立领中露出，她的手奇小无比，从黑色燕尾服的肥大袖子和衬衣的白色袖口里露了出来，她的脚纤细娇小，穿着黑白真丝男袜，从黑长裤的裤脚里露出。

"赫尔米娜，这就是你想穿的服装吗？穿它好让我爱上你？"

"到目前为止，"她点头说，"我才让几个女士恋上我，可现在轮到你了。让我们先喝杯香槟酒吧。"

我们喝酒，闲坐在高高的酒吧椅上，此时旁边的人继续跳着，热情激烈的弦乐愈发强烈。好像赫尔米娜没费什么劲儿就让我很快爱上了她。因她穿着男服，我不能和她跳舞，不敢冒昧表现出温存或攻击性，她化装成男性看上去遥不可及，不冷不热，而她的眼神、话语、姿势都透着女性的魅力，她向我施展着所有这些魅力。连碰都没碰她我已被她的魅力折服，这种魅力本身仍在她的角色中，是雌雄同体的魅力。接着她和我谈起赫尔曼，谈起童年时代，我的和她的，谈起性成熟前的那些岁月，那时青年人爱的能力不仅施于两性，而且囊括所有的一切，感官上的和精神上的，一切都被赋予爱的魅力和童话般的转换能力，这种能力有时只有佼佼者和诗人到了晚年才会再拥有。她完全装扮成小伙子模样，抽着烟，轻松自如且颇有智慧地谈天，常常有点嘲弄人的味道，可一切都透着性爱，一切都在通向我感官的路上变成了妙不可言的诱惑。

我还以为很好很准确地了解了赫尔米娜呢，今夜她向我显示出全新的一面！她神不知鬼不觉地在我身上套上了渴望得到的情网，做得多么温柔啊！她给我喝甜蜜的毒剂，水怪似的轻而易举就做到了！

我们坐在那儿，喝着香槟酒谈天。然后我们边看边溜达着走过大厅，充当冒险的发现者，找出成双成对的人，仔细偷看他们爱的游戏。她指给我看一些女人，要我与她们跳舞，给我出主意如何在不同的女人那里运用不同的勾引手段。我们以情敌身份出现，有时去触摸同一个女人，两人轮流和她跳舞，都想把她搞到手。可这一切只不过是假面游戏而已，只是我们俩之间的游戏，它把我们俩更紧密地编织在一起，点燃我们彼此的激情。一切都是童话，一切都丰富了一个维度，意义都深了一层，是游戏与象征。我们看到一个年轻貌美的女子，她看上去有点愁眉苦脸和不满，赫尔米娜和她共舞，让她活跃起来，和她一起消失在香槟酒屋，事后赫尔米娜告诉我她把这个女人征服了，不是作为男人而是作为女人，用莱斯波斯岛[1]的魔力。整个人声鼎沸、满是狂舞者的舞厅的房子，连同这些戴着假面具而陶醉的人群，让我觉得这里渐渐变成了妙不可言的梦天堂，一朵朵花儿争相散发着花香，我用试探的手指寻找着一颗颗果实来嬉戏，蛇从绿色树影中诱惑地看着我，莲花神出鬼没地出现在黑色泥潭上，魔鸟在树枝上引诱人，一切都把我引向梦寐以求的目标，一切都重新让

---

1 莱斯波斯岛（Lesbos），希腊的一座岛。女同性恋名称源于这个岛名，因古希腊的著名女诗人萨福是同性恋，在这座岛上待过。

我渴望得到唯一的她。我和一个不认识的姑娘跳了一次舞，热烈而主动追求，把她带进心醉神迷的状态中，当我们游移在虚幻世界里时她突然开怀大笑道："都认不出你来了。今晚舞会刚开始时你是那么的笨拙、乏味。"我认出她是几小时前说我是"坏脾气的老家伙"的姑娘。她以为拥有了我，可跳下一支舞时我又对另外一个姑娘热情似火了。我跳了两个小时甚至更长，跳个不停，每个舞都跳，连从没学过的也跳。赫尔米娜总出现在我身边，这个喜笑颜开的小伙子，向我点点头，旋即又消失在熙熙攘攘的人群中。

这是一次五十年中我不曾知道的经历，虽然每个少女和大学生都知道它，在今夜舞会上也让我体验了一把：庆典活动的体验，庆祝群体的如痴如醉，人消失在人群中的秘诀，愉悦中灵魂与上帝神秘结合的秘诀。我常听人说起这种经历，连每个女佣都知道，我常看到讲述人的眼睛亮闪闪的，而我对此总是半轻蔑半羡慕地一笑了之。入迷的人、自我得以拯救的人才会有那种陶醉的眼神，才会眼睛放光，融化在群体陶醉中的人会微笑，会半疯似的沉醉其中，不管是前者眼中放光还是后者微笑，我一生中在达官显贵和芸芸众生身上看到无数次，在烂醉如泥的新兵和水手身上，同样也在伟大的艺术家身上看到过，比如其在隆重演出中情怀激越时，尤其在即将参战的年轻士兵身上看到过。最近我还赞赏、喜欢、讥笑并羡慕幸福的陶醉人的容光焕发和喜笑颜开，这是在我朋友帕伯罗身上看到的，当他吹萨克斯、在乐队里快乐无比地陶醉于"做音乐"时，当他看着指挥、鼓手和弹奏班卓琴的男子时都是如此，着迷，销魂。我有时想，这种笑，这种天真无邪的容光焕发只有很年轻的人会有，或那些不允许个体自性化太强、不允许有个体差异的民族才会有。可今天，在这个喜庆的夜晚我自己也容光焕发，荒原狼哈里，也有这种微笑，我自己也沉浸在这种深深的、天真无邪的、童话般的幸福之中，我自己也呼吸到甜蜜的梦幻和感受到心醉神迷，它来自群体、音乐、节奏、美酒和性欲。我见过某个大学生在谈起舞会时对心醉神迷的状态称赞不已，我常以嘲讽及可怜的傲慢态度听着。现在我不再是我，我的人格在庆典迷醉中融化，就像盐在水里溶解。我和各种女人跳舞，她们的秀发碰到了我，我吸进她们的芳香。不仅仅我怀里的她是我的，而且所有的，所有其他女人都归我所有，那些和我一样在同一个舞厅，跳同一种舞，沉浸在同一支乐曲中的女人们，其容光焕发的脸庞像硕大的奇葩在我面前飘然而去，所有女人都是我的，我是所有女人的，我们都彼此拥有。男人也算在内，我也是他们中的一员，他们对我来说也不陌生，他们的微笑就是我的，他们对女人的追求也是我的追求，我的也是他们的。

一支新舞曲，一支狐步舞曲在那个冬季征服了世界，曲名是《思念》。这支《思念》一次次响起，一而再，再而三地被要求演奏，我们大家都沉浸在它的氛围里，被它迷住，大家都跟着旋律哼唱。我不停地跳，和每个正好碰到的女人跳，和很年轻的姑娘们跳，和正当年的少妇们跳，和夏季般的熟女跳，也和忧伤渐老的女人跳：被所有人迷住，笑开了怀，幸福无比，满面春光。帕伯罗以前总把我看成很可悲的可怜虫，现在看到我满面春光时，他的眼睛满怀喜悦地望着我，他情绪激动地从乐队椅上站起，用力吹他的圆号，登到椅子上，站在那儿，鼓圆了腮帮子猛吹，身子摇摆着，在《思念》的旋律中他的乐器也疯狂地、快乐至极地摇晃着，我和我的舞伴给他飞吻，大声和着他的乐曲唱。啊，在此期间我想，不管我以后怎么样，我也幸福了一把，容光焕发，自我分娩，成了帕伯罗的弟弟，一个孩子。

我丧失了时间感，不知道这种如痴如醉的幸福持续了几小时还是眨眼的工夫。我也没注意到庆祝活动越热烈，人们越往狭小的房间集中。后来大多数人都走了，走廊上变安静了，许多灯已熄灭，楼梯间死寂沉沉，楼上大厅里一支乐队接着一支乐队停止了演奏，离开了这里；只有主厅和底下的"地狱"还有人在喧闹，热情不断地高涨，热热闹闹进行着庆典狂欢。因为我不能和赫尔米娜这个"小伙子"跳舞，我们就只能在舞会间隙匆匆照个面，打个招呼，最后我完全看不到她了，不仅眼睛看不到她，心里也不想她，脑子里一片空白。我沉浸在狂热的跳舞人群中，融化了，触摸我的是香气、音乐、叹息和话语，陌生人用眼睛向我问候、给我激励，围绕着我的是陌生的脸庞、嘴唇、脸颊、胳膊、胸脯和膝盖，音乐有时像波浪一样有节奏地把我掀翻。

最后剩下的客人现在把小舞厅中的一间挤得满满当当，只有这里还有音乐，这时，在片刻半清醒状态下，我在最后的客人中突然看见，我突然看见了一个黑衣女丑角，她的脸画成白色，是个漂亮有朝气的姑娘，她是唯一还戴着面具的人，有着迷人的身材，这整个晚上我还没见过如此迷人的身材。在其他人身上都能看出时间已很晚了，从他们红红发热的脸上，从皱巴巴的衣服上，从起了皱的衣领和领子镶边上，而黑衣女丑角却精神气十足，像刚来的，面具后面的脸白皙，服装平平整整，领子挺括，尖袖口干净，发型整齐。她把我吸引了过去，我搂住她，拉她跳舞，她的领子镶边散发出阵阵香气，碰得我下巴痒痒的，她的头发碰到我的脸颊，她有弹性的年轻躯体比今夜其他任何舞伴都更温柔、更热忱地配合我的动作，或避开，或玩耍般地迫使、引诱我做动作时总是重新吸引我与她触碰。突然，在我边跳边弯下身想吻她嘴巴时，这张嘴自负地像见到老熟人一样笑了起来，我认出这结实的下巴，高兴地认出了肩膀、胳膊肘和手。是赫尔米娜，不再是赫尔曼，她换了服装，精神饱满，略施香水和粉黛。我们的嘴唇激情燃烧地碰在一起，有片刻她整个身子，直到下面的膝盖依偎着我，满怀渴望，十分倾心，之后她的嘴唇挣脱开，跳起舞来也有所克制，总躲着我。当音乐停止时，我们相拥站在那儿没动，我们周围所有一对一对劲舞的人都鼓掌、跺脚、叫喊，让精疲力竭的乐队又兴奋起来，重奏《思念》。忽然我们所有人都觉察到已是清晨，看到窗帘后微弱的日光，感到欢乐接近尾声，预感到疲惫会到来，于是我们又不假思索地、大声笑着、拼命地冲进舞蹈，冲进音乐，冲进潮水般的灯光，喧闹着有节奏地迈着舞步，一对一对地紧贴着，再次幸福无比地感到一股巨浪向我们砸下来。跳这个舞时赫尔米娜放下了她的优越感、她的嘲讽和她的冷静——她知道什么也不用做就可以让我恋上她。我是她的。她沉醉了，在跳舞、目光、亲吻和微笑中。在这个兴奋无比的夜晚，所有的女人，所有跟我跳过舞的女人，所有被我点燃激情的女人，所有点燃我激情的女人，所有我追求的女人，所有我心有所求而依偎着的女人，所有我带着情欲的渴望目送的女人，所有的女人都融合在一起变为唯一的女人，她在我怀里花开般地美。

这个婚礼舞持续了许久。音乐停止了两三次，演奏员们放下了他们的乐器，钢琴师从钢琴那儿站了起来，首席小提琴手摇了摇头拒绝加演，可每次他们都被最后陶醉的舞者的恳求振奋，再加演，演奏得更快更疯狂。然后——我们仍紧紧拥抱着站着，因最后贪婪地跳舞而上不来气——随着啪的一声响，琴盖合上了，我们的手臂累得垂了下来，演奏员和提琴手的手臂也一样，笛子演奏家眯起眼睛把笛子装进盒子里，门打开了，冷气吹了进来，勤杂工拿着大衣过来了，酒吧服务生关了灯。所有人幽灵般地、惊恐万状地四下逃散，跳舞的人刚才还很热呢，现在冷得瑟瑟发抖，赶紧穿上大衣，竖起领子。赫尔米娜站在那儿脸色苍白，但面带微笑。她慢慢抬起胳膊，把头发捋到脑后，她的腋窝在灯光下亮闪闪的，这时有淡淡的、柔美无比的影子从那儿往遮住的胸部移动，游移的小阴影线在我看来像微笑一样概括了她的所有魅力、她漂亮躯体的所有动作与可能性。

我们站在那儿对视，是大厅里最后的一对儿，整幢房子里最后的一对儿。我听到从楼下什么地方传来摔门声和杯子的破碎声，听到窃笑声和它的渐渐消失，这笑声混杂着正启动的汽车发出的讨厌而急速的噪声。在无法确定的远处与高处的什么地方有人哄堂大笑，笑声十分洪亮、快乐，但可怕、陌生，这笑声像用水晶玻璃和冰制成，亮晶晶，光芒四射，但冷冰冰而无情。这种奇妙的笑声我到底在哪儿听到过呢？一时想不起来。

我们俩站在那儿对视。有片刻我清醒了，冷静了，感到特别累，累劲儿从身后袭来，感到因身体出汗而湿透的衣服贴在身上，湿得难受，黏糊糊的。我看到我的手从起皱的、汗津津的袖口露出来，都红了，筋也起来了。可这些马上就过去了，赫尔米娜的眼光浇灭了这一切。我自己的灵魂好像从她的目光中看着我，在她目光面前所有的现实都崩坍了，包括我想要她的身体这一现实。我们很陶醉地对视着，我可怜的渺小灵魂看着我。

"你准备好了吗？"赫尔米娜问，她的笑容不见了，就像她胸部的影子消失了一样。不知从哪个房间发出的那种陌生的笑声逐渐消失在远方高处。

我点点头。是的，我准备好了。

现在帕伯罗这个音乐家出现在门口，用快活的眼睛照亮了我们，这眼睛原本是动物的，可动物眼睛总是很严肃，而他总是笑眼，这一笑让它们成了人眼。他满怀真挚的友情向我们招手致意。他穿着一件花色真丝便服，从衣服红色翻边露出湿透了的衬衫领和过度疲惫的苍白的脸，十分憔悴，可炯炯有神的黑眼睛把这点一笔勾销，也抹去了现实，这双眼也有魔力。

我们顺着他的手势走了过去，在门那儿他小声对我说："哈里老哥，我邀请您参加一次小小的娱乐活动。只有疯人可以入内，要付出理智的代价的。您乐意吗？"我又点了点头。

可爱的家伙！他温柔又小心地拉着我们的胳膊，赫尔米娜在右，我在左，把我们带到楼上一间圆形小房间，房间里有淡蓝色灯光从上面照下来，里面差不多是空的，除了一张小圆桌和三把座椅外什么都没有，我们坐到座椅上。

我们这是在哪儿？我睡了？在家里？坐在车里开车？不是，我坐在被蓝色灯光照亮的圆房间里，在稀薄的空气中，在一个变得极不密封的现实层中。赫尔米娜到底为什么这么脸色苍白呢？为什么帕伯罗话这么多？难道不是我让他开的口，不是我借助他的口道出了心声吗？难道不是像在赫尔米娜灰眼睛中一样，在他那黑眼睛中也只有我自己的灵魂在看我吗？这个无可救药的、恐惧不安的人。

朋友帕伯罗满怀深厚且有点客套的友情看着我们，说呀说，说了很多，说了很长时间。我还从来没听他说过连贯的话，他对辩论、对表达没兴趣，我几乎认为他没思想，他现在说话了，用他好听而温暖的声音说着，很流利，没语病。

"朋友们，我请你们参加一项娱乐活动，这活动是哈里盼望已久的，是他长时间梦寐以求的。有点晚了，也许我们大家都有点累了，所以我们先在这里休息一下，恢复一下体力。"

他从壁龛中取出三只小杯和一只好玩的小瓶，拿过来一个有异国情调的彩色木质小盒，从瓶里倒出液体斟满三个小杯子，从盒里拿出三支细长的黄色香烟，从真丝衣服里掏出打火机，给我们点上烟。我们都靠在座椅背上慢慢吸烟，烟雾浓得像供香，我们慢慢小口饮那饮料，它有点酸甜，不知道是什么东西，很奇特，是种味道很陌生的液体，它确实让人兴奋不已，极为快乐，人好像充了气，失重了。我们就这样坐着，小口抽着烟，休息着，品着饮料，感觉轻松快活。帕伯罗用他热诚的声音压低嗓门说道：

"我很高兴，亲爱的哈里，今天能稍微款待您一下。您常对您的生活感到很厌倦，渴望离开这里，对吧？您渴望离开这个时代、这个世界和这个现实，到另外一个与您较相称的现实中，到一个没有时间的世界中。您尽管这样做吧，亲爱的朋友，我邀请您这样做。您知道这个另外的世界在哪儿藏着，知道这是您在寻找的自己灵魂的世界。您渴望得到的那个另外的现实只存在于您自己心中。您心中不存在的东西我什么都给不了您，除了您灵魂的映象厅外我不能给您打开别的映象厅。我什么也给不了您，只能给您这个机会、这个动力和这把钥匙。我帮您看到您自己的世界。就这些。"

他又掏他的花衣服兜，掏出一面袖珍圆镜子。

"您看：至今您看到的您自己就是这个样子。"

他把小镜子举到我眼前（我想起了一首儿歌《小镜子，小镜子拿在手》），我看到有什么东西很模糊、混浊，一个图像叫人害怕，它在自己内部运动着，在自己内部激烈活动着、酝酿着：是我自己，哈里·哈勒尔，在这个哈里的内心深处是荒原狼，一匹腼腆、英俊、因迷了路而害怕地四下张望的狼，它眼睛里闪烁着火花，时而恶狠狠，时而又伤心，这匹狼的形体通过不停的运动流遍哈里身体，就像河的一条其他色彩的支流汩汩流动、翻腾，抗争着，悲痛着，撕咬着，对成形充满着难以抑制的渴望。流淌的半成形的狼用漂亮而胆怯的眼神悲伤地，悲伤地望着我。

"您看到您自己了。"帕伯罗温和地重复道，又把镜子放进口袋。我感激地闭上眼睛，啜吮着魔力饮料。

"我们也休息过了，"帕伯罗说，"我们恢复了体力，也聊了一会儿了。如果你们不再觉得累，那么我现在想带你们到我的西洋镜中去，给你们看看我的小剧场。同意吗？"

我们起身，帕伯罗微笑着走在前，打开一扇门，把门帘拉开，这时我们站在一座剧院的圆形马蹄铁状的走廊里，正好在中间，有曲折的过道通往两侧，经过许多狭窄的包厢门，门多得简直难以置信。

"这就是我们的剧院，"帕伯罗解释说，"一座快乐的剧院，希望你们能找到各种各样好笑的东西。"说着他放声大笑，虽只笑了几声，但笑声强烈地穿透了我，就是刚才我在楼上听到过的响亮而陌生的笑声。

"我的小剧场有许多包厢门，你们想要多少就有多少，十扇，一百扇，一千扇，每扇门后面都有你们要找的东西在等待着你们。这是一间漂亮的图像陈列室，亲爱的朋友，可如果您像目前这样走一遍的话对您没任何用处，您已习惯的东西会妨碍说出您的人格，让您迷惑。毫无疑问，您早就猜到不管战胜时间也好，从现实中解脱也好，不管您怎么称呼您的渴望，它都只意味着您的愿望就是摆脱您所谓的人格，除此之外没别的。您的人格是您蹲坐的牢狱。如果您以您现在的样子走进剧场，那么您会以哈里的眼光看待一切，都将通过荒原狼的旧眼镜看一切。所以请您摘掉这副眼镜，敬请在这里、在这个衣帽间交出您尊贵的人格，把它放在这里，只要您愿意，可随时取回使用。您参加了美好的夜晚舞会，读了《论荒原狼的宣传手册》，最终我们还享用过微量的兴奋剂，这些可以让您有足够的准备了。您，哈里，在卸下您可贵的人格后可用剧场的左侧，赫尔米娜用右侧，你们可以随时在里面会合。赫尔米娜，请暂时走到门帘后。我先带哈里进去。"

赫尔米娜走过一面巨大的镜子，在右边消失了，那镜子覆盖了整面后墙，从地上一直到拱顶。

"好了，哈里，您来吧，请心情好点。让您有个好心情，教您笑，就是这个活动的目的——我希望您别给我找麻烦。您感觉舒服吧？是吧？不害怕吗？那好，很好。您现在别害怕，尽管开心地踏入我们的虚拟世界，您要以小小的假自杀来表现自己，这是流行的做法。"

他又把小镜子拿了出来，举到我面前。我再次直视哈里，他乱作一团，模糊不清，扭拧着的狼的形体经他身体流过，这是一幅我很熟悉的图像，的确不讨人喜欢，毁了这个图像不会让我担忧的。

"亲爱的朋友，这个镜像是多余的了，您现在要灭掉它，不必做其他事。如果您的心情允许，您带着发自内心的笑观看这个图像就够了。您现在是在这里的幽默学校，您应学会笑。所有较高境界的笑都始于人不再拿自己这个人当回事儿。"

我目不转睛地往小镜子里看，手中的小镜子，里边的哈里狼在痉挛。我身子也抽搐了片刻，是在内心深处，轻轻地，但令人心痛，像回忆，像思乡，像悔恨。接着轻微的压抑让位于一种全新的感受，很像那种用可卡因麻醉后从颌骨拔一颗坏牙的感觉，我感到如释重负，深吸了一口气，同时也对一点没痛感到惊讶。与这种感觉相随的是一种清新的快活劲及忍俊不禁的感觉，我忍不住想笑，结果放声大笑起来，这是解脱的笑。

模糊的小镜像时闪时灭，小圆镜面突然像烧焦似的，变得灰不溜秋、粗糙、不透明了。帕伯罗笑着把镜片扔了，它在望不到头的走廊地板上渐渐滚远了。

"笑得很好，哈里，"帕伯罗喊道，"你还将学会像不朽之人那样笑的。你终于把荒原狼杀死了，用刮胡刀是不行的。注意别让它活过来！你会马上离开愚蠢的现实。下次有机会我们喝杯结拜酒，以'你'相称。亲爱的，你从来没有像今天这样让我喜欢。如果你还看重，那么我们也可以进行哲学上的探讨，谈音乐，谈莫扎特和格鲁克[1]，谈柏拉图和歌德，随便你谈多少。你现在会明白为什么以前不行了。希望你能成功，你今天就能摆脱荒原狼了。因为你的

1　格鲁克（1714—1787），德国作曲家。

自杀当然不是最终的；我们是在这里的魔幻剧场，这里只有图景，没有现实。你找出漂亮轻松的图像来，显示一下你真的不再恋着你那成问题的人格吧！可如果你还很想要回它，那么只需再照照镜子，我会给你看这面镜子的。你知道有这么一句聪明的老话：一面小镜子在手胜过两面镜子在墙。哈哈哈！（他笑得又是这么好听、可怕）——好了，现在只剩下有趣的小小仪式要举行了。你现在扔掉了你的人格眼镜，过来照照真正的镜子吧！你会开心的！"

他一边笑着，做出滑稽的抚摩小动作，一边把我身子转过来，让我面对墙上巨大的镜子。我看到了里面的我。

刹那间我看到了我熟悉的哈里，只是他的脸异常地喜庆，是张明亮的笑脸。可我刚认出他，他就碎裂了，第二个人物形象从他身上脱落，又有第三个……第十个，第二十个，整个大镜子全都是哈里或哈里的一部分，有无数个哈里，他们中的每一个我只看了一小会儿，认出是谁，就又出现另一个。这么多哈里中有几个像我年纪一样大，有几个老一点，有几个更是老态龙钟，其他的很年轻，是小伙子、男孩、男学生、淘气鬼。五十岁与二十岁的哈里乱跑乱跳一气，三十岁和五岁的，严肃的和诙谐的，威严的和滑稽的，衣冠楚楚的和衣衫褴褛的，还有全裸的，秃顶的和长鬈发的，所有人都是我，每个人都很快被我看到，刚认出就不见了，他们四下散去，有往左的，有往右的，有走进镜子深处的，有从镜子里出来的。有一个人，一个年轻优雅的家伙，笑着跑到帕伯罗的怀里，拥抱他，和他一起走掉了。有一个人我特别喜欢，是个很帅气迷人的男孩，有十六七岁，他闪电般跑到走廊上，贪婪地读着所有门上的字样，我跟过去。在一扇门前他停下了，我看到门上写着：

> 所有的姑娘都是你的！投一马克

可爱的男孩一跃而起，头朝前，自己跌进投币口，消失在门后。

连帕伯罗也不见了，镜子好像也不见了，连同所有无数的哈里形象一起。我感到现在没人管我，孤单一人在剧场。我好奇地走过一扇扇门，读着每扇门上的字，文字是引诱，是许诺。

有段文字写着：

> 来快乐地狩猎吧！
> 猎取汽车

这文字吸引了我，我打开窄门走了进去。

这时我被带到一个喧闹、激动的世界里。大街上汽车疾驶，一部分安着装甲板，在追逐行人，把他们轧成肉饼，把他们挤到屋墙上挤死。我马上明白了：这是人与机器的较量，人们已准备了许久，期待了许久，担心了许久，现在终于爆发了。到处都是死人和被碾压得不成形的人，也到处都是被砸烂的、弯曲的、半烧焦的车，飞机在乱七八糟的废铁上方盘旋，人们也从许多房顶和窗户里用卡宾枪和机关枪向飞机射击。所有的墙上都贴着狂热的、绚丽得让人兴奋的宣传画，用的是大号字，字母像火炬在燃烧，这些宣传画号召全民族与机器对着干，全力以赴为人而战，因为肥头大耳、穿着光鲜、满身香气的富人们用机器榨干了他人的骨髓，所以最终要把这些富人消灭掉，连同他们那震耳欲聋的、噪声令人讨厌的、嘟嘟嘟响个不停的大汽车，最终点燃工厂；把被毁的土地略微清理一下，人口迁走，好让草再生，好把满是灰尘的水泥世界再变成森林、草地、原野、小溪和沼泽。而另外的宣传画画得很棒，风格优美，色彩柔和一些，不那么幼稚，文字极机敏、有见地，这些宣传画反过来鼓噪所有的有产者和所有谨慎行事的人警惕无政府状态即将造成的混乱，描绘了秩序、劳动、财产、文化和法制的恩泽，颂扬了机器是人类最高最新的发明，他们有了机器的帮助可以变为神——这样的画着实抓住了人心。我若有所思地、钦佩地读着红红绿绿的宣传画，它们给我印象极深的是其闪光的辩才、有说服力的逻辑。它们说得有道理，我对这些宣传画深信不疑，一会儿站在这一张前瞧，一会儿又站在那一张前看，不管怎么说明显受到周围激烈枪声的干扰。好了，主要的事情很清楚了：这是战争，一场激烈的、有激情的、极令人同情的战争，不是为皇帝、共和国、边界、旗帜和色彩等而战，那些更多的是装饰性的、装腔作势的、归根到底是无耻的东西，这不是为它们而战，而是在战争中每个觉得空间太窄小、生活不再合口味的人强烈地表达出他的不满，努力为全面摧毁铁皮制成的文明世界而铺平道路。我看到大家眉开眼笑的，笑得清脆，坦诚，流露出破坏与杀人欲，在我自己内心这些红色野花也是开得旺盛肥硕，笑得同样厉害。我高兴地参与了战斗。

但最美的事儿要属我的同学古斯塔夫突然出现在我身边，我几十年都没他的消息了，他曾是我童年早期的朋友中最任性、最强壮、对生活最充满渴望的。当我看到他淡蓝色眼睛又向我眨巴时真是心花怒放。他向我示意，我马上高兴地跟随他。

"该死的，古斯塔夫，"我高兴地叫道，"又看到你了，真好！你怎么样？"

他生气地大笑了起来，完全和小的时候一样。

"笨蛋，难道非得马上问马上聊吗？我是神学教授，好了，你知道了吧？可幸运的是现在不再搞神学了，老弟，而是作战。来吧！"

有一辆小型卡车呼哧呼哧地迎着我们开来，他用枪把司机打了下来，像猴子似的敏捷地跳到车上，把车停下来后让我上去，然后我们像被魔鬼驱使似的飞快地穿过枪林弹雨，开过翻倒的汽车，开走了，往城市的郊外开去。

"你是站在工厂主一边的吗？"我问我的朋友。

"哎，什么呀，这是个人爱好问题，我们到了外边再考虑这个。不对，等等，我更赞同选其他党，虽然选谁归根到底无所谓。我是神学家，我的祖先路德当时帮助诸侯和富人反对农民，现在我们想稍微纠正一下。破车，但愿它还能跑几公里！"

我们像风，天堂里的娃娃 [1]，风驰电掣般地、嘎吱嘎吱

---

1 格林童话里有"风啊，风，天堂里的娃娃"一语。

地开走了，开到一个绿色静谧的地区，又开出好多里路，穿过大平原，然后缓缓向上开进一座大山中。我们在这里的一条光滑而闪闪发光的公路上停了下来，公路一边是陡峭的岩壁，另一边是低矮的防护墙，它向上盘旋时弯度很大，在一片湛蓝闪亮的湖泊上方延伸。

"这地方真美。"我说。

"很漂亮。我们可以称这里是交通要道，这儿应有各种公路通向峡谷，小哈里，注意了！"

一棵很高大的意大利柏立在路旁，我们看见柏树上有个木板造的东西，有点像小木屋，是个瞭望台或狩猎台。古斯塔夫对我朗朗笑开了口，蓝眼睛狡黠地眨眨，我们俩迅速下了车，顺着树干爬了上去，深吸一口气隐藏到我们十分喜欢的瞭望台上。我们在那儿找到猎枪、手枪和子弹箱。我们刚稍微凉快一下、在狩猎台安置妥当，就从附近的拐弯处传来一辆大型豪华轿车的喇叭声，嘟嘟地响着，彰显着权势，轿车在明晃晃的山路上嗖嗖地快速驶来。我们已把猎枪拿在手里，非常紧张。

"瞄准司机！"古斯塔夫很快命令道，笨重的汽车刚好要从我们底下开过。我瞄准好并扣了扳机，子弹打到驾驶员的蓝帽子上。男子倒了下去，车继续疾驶，撞到岩壁上，弹了回来，像只肥大的花蜂笨重地、恼怒地撞到低矮的护墙上，翻了个跟头，发出轻轻的、短促的噼啪声，然后轰隆一响越墙翻到下边的深渊里去了。

"完蛋了！"古斯塔夫笑了。"下一个我来。"

又有一辆汽车驶来，三四个乘客缩坐在车座上，一个女人头上的一块纱巾水平状在脑后不动地飘着，是浅蓝色纱巾，我本来觉得毁掉它挺可惜的，谁知道它里面是不是张最漂亮的女人脸在笑。真该死，如果我们非要扮演强盗，那么追随伟大榜样的做法，别让我们勇敢的杀人欲殃及漂亮女士们也许更正确、更好。可古斯塔夫已开枪。司机抽搐一下后倒下，车沿着笔直的岩石蹿得老高，又摔到公路上，噼啪一声响，轮子朝天。我们等着，车里没动静，里面的人像困在陷阱里，一声不吭地躺着。车子还在噼里啪啦、丁零当啷作响，轮子在空中空转，让人感到好笑，可突然车子发出可怕的噼啪声，燃起熊熊大火。

"一辆福特。"古斯塔夫说。"我们必须下山把公路再腾空出来。"

我们走下去，看着一堆燃烧的废铁。车很快烧毁，这时我们用新木做成杠杆，把它撬到一边，车翻过路沿儿掉到深谷中，好长时间在灌木丛中喀嚓喀嚓作响。死者中有两人在汽车翻滚时从车里掉了出来，躺在那里，衣服部分烧焦了。一个人的外套还保存完好，我查了他的兜，看看我们是否能找到他的身份。露出了一个皮质公文包，里面有名片。我拿出来一张，看到上面写着"这就是你"[1]。

"真有趣，"古斯塔夫说，"事实上我们杀死的这些人叫什么无所谓。他们像我们一样是可怜虫，名字不重要。这个世界一定得完蛋，我们跟着完蛋。把他们按到水里待十分钟是最不痛苦的解决办法。好了，干吧！"

我们把死人往车那边扔。这时一辆新汽车已鸣着喇叭开过来了。我们马上在公路上把它击毁。它醉鬼似的兜着圈往前开了一段，旋即翻倒，呼哧呼哧躺在那儿不动了，一个乘客静静地坐在里面没动窝，可一个漂亮的年轻姑娘从车里下来，她没受伤，虽然脸色苍白，颤抖不已。我们和气地问候她，要为她提供帮助。她吓得太厉害了，说不出话来，像神经错乱似的盯着我们看了一会儿。

"来，我们先看看老先生吧。"古斯塔夫说，转向另一个乘客，他仍坐在死了的司机后面的坐位上没动。这是一个有着灰白短发的先生，睁着淡灰色的聪慧的眼睛，好

1　这是印度古语。

像伤得不轻，至少有血从嘴里流出，脖子歪得厉害，僵硬得很。

"对不起，老先生，我叫古斯塔夫。我们冒昧射杀了您的司机。请问贵姓？"

老头儿冷漠、伤心地用灰色小眼睛看着古斯塔夫。

"我是首席检察官勒林，"他慢条斯理地说。"您不仅把我可怜的司机杀死了，而且还有我，我感到不行了。您到底为什么向我们射击？"

"因为开得太快。"

"我们是以正常速度开的。"

"昨天正常的事儿今天就不正常了，首席检察官先生。今天我们认为，车辆不管以什么速度开，都速度太快。我们现在正摧毁汽车，所有的，其他机器也不放过。"

"也包括您的猎枪吗？"

"如果我们还有时间的话也要轮到它们。估计明天或后天我们所有人都会完蛋。您知道我们地球人口太多了。嗯，现在应该有地方了。"

"难道您没有选择地射击每个人吗？"

"当然。对某些人来说这无疑是遗憾的，比如年轻貌美的女士我就觉得可惜——她可能是您的女儿吧？"

“不是，是我的速记员。”

“那就好。请您下车吧，或让我们把您从车里拽出来，因为车毁了。”

“我宁可被一起毁掉。”

“请便。请允许再提一个问题！您是检察官。我一直没明白一个人怎么可以成为检察官。您起诉其他人，他们大部分是可怜虫，然后处罚他们，您以此为生，是吧？”

“是这样。我尽我的职责，这是我的工作，就像刽子手的任务就是杀死被判处死刑的人一样。您自己履行的是相同的职责，您也在杀人。”

“对的。只是我们不是出于义务才杀人，而是为了取乐或更多的是出于不满，出于对这个世界的绝望，所以杀人给我们带来某些快乐。杀人从来没给您带来快乐吗？”

“您让我感到无聊。劳驾把您的工作做完吧。如果您不知道什么是责任的话……”

他不说话了，撇着嘴，好像要吐痰，可吐出的只是一点血，沾在他的下巴上。

“您等等！”古斯塔夫客气地说。“我当然不知道什么是责任，不再知道。以前工作中我常和这个概念打交道，我曾是神学教授。此外我当过兵，参过战。在我看来凡是有关责任的事情，凡是权威和上级命令我做的事情都不好，一点不好，我总是更愿意做相反的事儿。可就算我不再知道责任的概念，我毕竟知道罪责的概念——也许两个概念是同一个。一个母亲生了我，我就有罪过了，被判活着，就有义务属于一个国家，当兵、杀人、为军备缴税。可现在，眼下，生存的罪责又让我，像以前在战争中一样，不得不杀人了。这次我杀人不是勉强的，我愿意有罪，我一点不反对这个愚蠢和堵塞的世界分崩离析，我乐意助一臂之力，乐意自己也一道毁灭。"

检察官很费力地动动他血糊糊的嘴唇，微微一笑，笑得很勉强，但能看出他的好意。

"这就好，"他说，"这么说我们是同事。请履行您的义务吧，同事先生。"

此时已坐到马路沿儿上的漂亮姑娘昏了过去。

就在这时又传来车的喇叭声，一辆车全速撞了过来。我们把姑娘稍微拉到一边，然后我们紧贴在岩石上，让开过来的汽车开进另外一辆车的废墟里。车紧急刹车，向上翘起，它没受损，停住了。我们赶快拿起卡宾枪对准新来的人。

"下车！"古斯塔夫命令道。"举起手来！"

是三个男人，他们从车上下来，乖乖地举起手。

"你们中间有医生吗？"古斯塔夫问。

他们说没有。

"那么劳驾你们小心把这位先生从坐位上解救出来，他伤得很厉害。然后用你们的车把他带到最近的城市。抓紧时间动手吧！"

老先生很快被放到另外一辆车上，古斯塔夫发出命令，他们的车就开走了。

在此期间我们的速记员又苏醒过来，看到了部分过程。有了这个漂亮的猎物我很是喜欢。

"小姐，"古斯塔夫说，"您失去了雇主。希望除这层关系外老先生跟您不亲近。您被我聘用了。做我们的好战友吧！好了，事情有点紧迫。这里很快会不舒服的。您能爬上来吗，小姐？行，是吧？快点，我们让您在我们俩中间，我们帮助您。"

于是我们三个人都尽可能快地爬到我们树上的小屋中。在上边小姐很不舒服，可她喝了一口白兰地后很快就恢复了，恢复得能赞美湖光山色了，也能告诉我们她叫多拉了。

很快下面又有一辆车到了，它小心翼翼地从翻倒的车旁开过，没停下，然后马上加速。

"遇事绕道走的人！"古斯塔夫笑着说，向司机开了枪。车子颠了几下，一跃就撞到了护墙上，压坏了墙，倾斜着悬在深渊上方。

"多拉，"我说，"您会使猎枪吗？"

她不会，便向我们学怎么给枪上子弹。起先她笨手笨脚的，把一根手指划出了血，大喊大叫着要英国橡皮膏。古斯塔夫告诉她这是战争，她应该表现出是个听话、勇敢的女孩。行了。

"可我们会怎么样？"她接着问。

"我不知道。"古斯塔夫说。"我朋友哈里喜欢美女，他会成为您朋友的。"

"但他们会带着警察和士兵来把我们打死的。"

"警察之类的不会再有了。我们有选择，多拉。要么我们好好待在这上边，把所有想经过的车辆都击毁，要么我们自己乘一辆车离开，让别人射击我们。随便我们站在哪一方都无所谓。我赞同待在这儿。"

下面又过来一辆车，喇叭叫得山响。很快它就完蛋了，车轮朝上不动弹了。

"奇怪，"我说，"射击可以带来这么大的乐趣！我以前可是反战人士！"

古斯塔夫笑了笑。"是啊，世上人就是太多了，以前人们没觉察到这一点。现在，每个人不仅想呼吸空气，而且还想要汽车，现在人们才觉察到这一点。我们的所作所为当然不理智，是幼稚行为，战争也是极幼稚的行为。以后人类必须学会通过理性手段控制人口增长。我们无法忍受目前的状况，应对手段暂时又很不理性，可做的事儿毕竟基本正确：我们在减少人口。"

"是的，"我说，"我们做的事可能很疯狂，但很可能是好事，有必要做。人类过度理智，想以理性处理事情不好，这些事儿根本不在理性范围内。然后就出现了这些典范，像美国的或与之相对的典范，两种典范都极具理性，但它们都可怕地歪曲了生活，因为它们把生活如此幼稚地简单化了。人的形象，曾经最高的理想，现在正变成千篇一律的东西。我们这些疯子也许会再让这形象高贵起来。"

古斯塔夫笑着回答说："老弟，你说得太明智了，仔细听听这种来自智慧源泉的声音是件乐事，获益匪浅啊。你说得虽然有道理，但劳驾现在再把猎枪上好子弹，你在我看来有点太沉浸在梦幻中了。随时会再有几个臭男人跑过来的，我们不能用哲学把他们击毙，无论如何枪筒里得有子弹。"

一辆汽车过来了，马上翻倒，公路被封。一个死里逃生的人，一个肥胖的红发男子在废墟旁拼命打着手势，上下望着，发现了我们的藏身处，吼叫着跑了过来，用左轮手枪往我们这儿射击了多次。

"现在要么您走开要么我开枪了。"古斯塔夫冲着下面喊道。男子瞄准他又开了一枪。这时我们向他射击，开了两枪。

后来又有两辆车过来了，我们把它们打瘫痪了。公路旋即变得宁静而无人，这条路很危险的消息看来已传播开来。我们有时间欣赏美景了。湖对岸的山底下有座小城，有烟升起，不久我们看见火苗在屋顶之间蔓延，还听到了枪声。多拉哭了一会儿，我抚摸着她湿漉漉的脸颊。

"难道我们大家非死不可吗？"她问。没人回答。这时下面有个行人走了过来，看到报废汽车躺着，好奇地绕着它们看，弯腰钻进一辆，拿出一把遮阳花伞、一个皮质女包和一瓶葡萄酒，平和地坐到护墙上，喝瓶里的酒，吃点从包里掏出的东西，是用锡纸包着的。在把酒喝得一干二净后，他愉快地继续前行，遮阳伞夹在腋下。他安详地离开时，我对古斯塔夫说："你能朝这个可爱的家伙开枪，把他的头打个窟窿吗？我真的做不到。"

"也没要求你这样做。"我的朋友嘟囔着，可他心里也不舒服了。有个人过来了，他举止还挺和善、平和、纯真，还生活在无辜状态中，我们刚看到他时一下子就觉得我们整个值得称赞且必要的行动很愚蠢，令人反感。呸，真讨厌，所有的血！我们感到丢脸。听说战争中甚至将军有时也有这种感觉。

"我们别在这儿再待下去了，"多拉抱怨说，"我们下山吧，我们肯定能在车里找到点吃的东西。难道你们不饿吗，你们这些强人？"

下面远处燃烧的城市里开始响起钟声，激动且充满恐惧。我们下了山。在我帮助多拉翻越栏杆时我吻了她的膝。她爽朗地笑了。可支撑架倒了，我俩踩空了……

我又在圆形走廊里了，因冒险的追逐而兴奋。到处，在所有的、无数的门上都有文字诱惑：

木塔勃尔 [1]

任意变成动植物

---

[1] 拉丁咒语，源自德国 19 世纪著名作家豪夫的童话《仙鹤哈里发的故事》，书中人物说这个词时可以变为仙鹤。

《爱经》[1]

印度房术课

初级班：四十二种不同做爱练习的方法

富有乐趣的自杀！

你会笑破肚皮

您想让精神更完美吗？

东方的智慧

如果我会上千种语言多好啊！

只限男士

西方的没落

减价。仍旧是最低价

艺术的典范

通过音乐让时间变空间

---

1 印度8世纪一部关于性爱和性爱技巧的著作。

> 笑的眼泪——幽默屋

> 隐居者游戏
> 任何社交的替代，价值等同

连串的字样无穷无尽。有一处文字是：

> 构建人格的指南
> 确保成功

我觉得这个值得关注，于是我走进这扇门。

迎接我的是一间幽暗、宁静的房间，里面没有东方式的椅子，一个男人坐在地上，面前放着一点东西，像个大棋盘。起初我觉得他好像是朋友帕伯罗，至少这男子穿着差不多花色的真丝衣服，眼睛也是深色，亮闪闪的。

"您是帕伯罗吗？"我问。

"我什么人都不是。"他客气地解释说。"我们在这里没有名字，我们在这里不是个人。我是棋手。您想上人格构建课吗？"

"是的。"

"那么劳驾把您几十个形象[1]让我用一下。"

"我的形象？……"

"就是您看到的您所谓的人格裂变后的形象。没形象我是没法下棋的。"

他把一面镜子举到我面前，我在镜中又看到我人的整体裂变成许多个"我"，数目好像还增多了。可形象现在很小，大致像轻便棋子那么大，棋手用手指很有把握地轻轻一抓就拿起几十个形象，放在棋盘旁边的地上。他单调地说着，像个重复已经讲过的发言或上课内容的男子：

"有一种观点您是知道的，按这个观点仿佛人是个持续的整体，这种认识是错误的，会带来不幸的。您也知道人由许多灵魂，由许多个'我'组成。如果个人表面上的整体分裂成这么多的形象，那么他往往被认为是疯子，科学为此发明了精神分裂症这个术语。科学这样命名在某种程度上有道理，因为没有一种多样性不经引导、不经某种整合和分组就可以自然而然地被制约。同时科学也没道理，因它以为对许多的'次我'只能进行一次性的、约束性的、终生的整合。科学的这个错误带来一些令人不

---

1 德语中形象与棋子是一个词。

快的后果，它的价值只在于国家聘用的教师和教育工作者觉得自己的工作简化了，无需思维与实验了。因这个错误，许多人被认为是'正常的'，是有很高的社会价值的，但他们其实是不可救药的疯子，而反过来有些人被认为是疯子，而实际上他们是天才。所以我们用一个概念来填补科学界的有缺陷的心理学说，我们称这个概念为构建艺术。对那些经历了'我'的瓦解的人来说，我们告诉他，他可以随时把这些碎片以任意顺序重新编排，因此而获得生命游戏的无穷无尽的多样性。像作家用几个人物创作戏剧一样，我们用我们分解的'我'的形象不断组成新的组，这就有了新游戏和张力，有了永远更新的局面。您看！——"

他用轻柔的、机敏的手指抓住我的形象，所有年迈者、青年、孩子、妇女，所有快活的和悲伤的、强壮的和柔弱的、灵活的和笨拙的形象，用它们很快地在他的棋盘上摆出新的棋局，下棋时它们立即构建成团体和家庭、游戏与斗争、友谊与敌对，在小棋盘上构成一个世界。他在我欣喜的目光下让活跃但井然有序的小世界活动了一会儿，让这些形象游戏、争斗、结盟、作战、彼此追求、结婚、繁殖；这确实是一出人物众多、活跃而紧张的戏。

然后他以快乐的动作抹了棋盘，慢慢推倒所有的棋子，把它们堆在一起，然后若有所思，像一个挑剔的艺术家那样，用同样的棋子又摆全新的棋局，以完全不同的分组、关系和组合。第二局与第一局近似：是同一个世界，用同一种材料构建，可调式变了，速度变了，因强调了别的主题，情况也变了。

就这样，聪明的建造师用形体构建了一盘又一盘棋局，这些形体中的每一个都是我自己的一部分，所有的棋局远看都差不多，都能看出同属一个世界，受同一个源头影响，但每盘棋局都是新的。

"这是生活艺术。"他用教训的口吻说。"您今后可以自己随意继续制定、活跃、搞乱、丰富您的生活棋局，这由您掌控。从更高意义上说，所有的智慧都始于精神错乱，因此也可以说，一切艺术、一切幻想都始于精神分裂症。甚至有学者已多少认识到这一点，比如就像人们能在'王子的魔号'[1]的书、那本令人着迷的书中读到的那样，一

1 王子的魔号，这里是指汉斯·普林茨霍恩（Hans Prinzhorn，1886—1933），德国心理学家和艺术史家，他曾于1922年出版了一部影响很广的书《精神病患者的雕塑艺术》。他的姓普林茨霍恩（Prinzhorn）的前半部分是"王子"的意思，后半部分是"号角"的意思，黑塞把他的名字拆开，用"王子"和德国民歌集《少年的魔号》（作家阿尼尔编撰，马勒曾为其谱曲）中的"魔号"来指他。

个学者辛勤的工作由于他和一些因精神错乱而被关在精神病院中的艺术家进行完美的合作而显得高贵。——给，您尽管把您的小棋子收起来，玩棋常会给您带来快乐的。如果今天有的棋子变成了难以忍受的妖怪，扫了您的棋兴，您明天就把它降为无关紧要的次要棋子；要是有的小棋子有一阵子好像注定要彻底倒霉遭厄运，您就在下一盘棋局中把这个可怜、可爱的小棋子变成公主。祝您愉快，我的先生！"

我感激地向这位有天赋的棋手深深鞠了一躬，把小棋子放进兜里，从窄门退了出来。

我原本想马上坐到走廊的地上玩那些棋子，玩上几个小时，甚至玩到永远，可我刚再次站到明亮的圆形剧场的过道里时，新的人流，比我强大，把我吸走了。一张海报在我眼前闪闪发亮，很刺眼：

驯荒原狼的奇观

这文字让我内心百感交集，各种各样的恐惧与强迫症让我的心抽紧、发痛，它们均来自我以往的生活，来自已远去的现实。我用颤抖的手打开了门，进到一个年货集市的小屋，看到里面竖着一道铁栅栏，把我和简陋的舞台隔开；又看到舞台上站着一个驯兽师，一个外表有点张扬、装腔作势的先生，他虽然长着大髭须，虽然上臂肌肉发达，还穿着花里胡哨的马戏团服装，可他以一种阴险的、令人相当厌恶的方式和我自己有几分相像。这个强壮的男子用绳子像牵狗似的牵着一匹狼——可悲的一幕——它骨架大而漂亮，但瘦得可怕，目光谦卑，战战兢兢。这个粗暴的驯兽师通过一连串的把戏和让人动容的场面向人们展示这头食肉动物，它高贵却如此卑怯地顺从，人们看到这一幕既恶心又紧张，既讨厌可又暗自快乐无比。

那男子，我那该死的哈哈镜里的双胞胎，自然很好地驯服了他的狼。狼认真遵从每一道指令，对每一次召唤和鞭打都奴性十足地做出反应，它下跪，装死，前爪竖起，它驯服地、听话地用嘴叼起一块面包、一个鸡蛋、一块肉和一个小篮子，它甚至得为驯兽师拾起他扔在地上的鞭子，用嘴叼着送过去，做这事儿时还摇摇尾巴，卑躬屈膝的劲儿让人难以忍受。有人把一只兔子送到狼面前，然后又放一只白羔羊，狼虽然龇牙咧嘴，浑身颤抖，馋得口水直流，但两只小动物它一只也没碰，而是按照驯兽师的口令跃过颤抖地趴在地上的小动物，跳跃的姿势很优雅；

它甚至卧在兔子与羔羊之间，用前爪搂着它们，与它们一起组成感人的家庭小组。为此它从那人手里吃到一板巧克力。这匹狼学会了违背天性，到了惊人的程度，看这种情景真是一种折磨，看得我毛骨悚然。

但在表演的第二部分，承受的这种折磨获得了补偿，无论是对激动的观众，还是对狼自己都是如此。因为在那段精彩的驯兽表演结束、驯兽师得意洋洋地带着甜蜜的微笑在羔羊与狼组合的上方鞠躬后，角色就转换过来了。长得像哈里的驯兽师突然间深鞠一躬，把鞭子放到狼脚下，自己同样开始发抖、蜷缩，看上去很凄惨，就像动物之前的样子。而狼大笑着舔了舔嘴巴，痉挛与虚伪从它身上溜走了，它的眼睛亮闪闪的，整个身子绷紧了，又恢复了野性，活跃起来。

现在是狼发命令，人得听命。他听命令跪了下来，做出狼样，伸出舌头，用补过的牙把衣服从身上撕扯下来。他根据"驯人师"的命令，或两腿行走或四肢着地爬行，又抬起两条胳膊像动物那样坐在双腿上，装死，任狼骑，给它递鞭子。他奴颜婢膝，施展自己的才华和想象力来接受每个羞辱和变态行为。一个漂亮的姑娘上了舞台，走近被驯服的男子，抚摩他的下巴，与他脸贴脸地亲昵，可他仍四肢着地，仍是充当畜牲，摇了摇头，开始向美女龇牙咧嘴，最后像狼似的发出威胁，把姑娘吓跑了。有人在他面前放了巧克力，他轻蔑地闻了闻，把它推到一边。最后白羔羊和斑点肥兔又被带了进来，一教就学会的人竭尽全力装作狼样，乐此不疲。他用手指攥住、用牙齿咬住嚎叫的小动物，把它们的皮和肉一块块撕下来，冷笑着咀嚼它们鲜活的肉，专心致志地狂饮它们热腾腾的血，欣喜地闭上眼睛。

我惊恐地夺门而逃。我明白这个魔幻剧院不是纯粹的天堂，其美丽的外表下全是地狱。天呀，难道这里也不能拯救吗？

我惊恐地来回跑，嘴里有血腥味和巧克力味，两种味道都难闻，我热切地希望逃离这股浑浊的浪潮，在我自己内心竭力去想较能忍受、较愉快的画面。《噢，朋友啊，别用这种调子！》[1]在我心中唱响，我又惊恐地回忆起那些可憎的前线照片，是战争期间时而看到的，回忆起一堆堆彼此绞在一起的尸体，他们的脸因戴着防毒面具而变成奸笑的鬼脸。当时我还是具有人道主义思想的反战者，还

---

1 这是黑塞曾发表过的一篇文章。

对这些画面感到震惊呢，我当时是多么愚蠢和天真啊！今天我知道，无论是驯兽师、部长、将军，还是神经错乱的人，他们在头脑中酝酿出的思想与画面同样潜藏在我的内心，它们都一样可憎、疯狂、阴险、残忍与愚蠢。

我松了口气，回忆起那些文字，就是早在戏剧开始时我看到的美少年如此贪婪地阅读的文字：

> 所有的姑娘都是你的！

总的来说，我觉得真没有比这个更值得渴望的了。能逃离该死的狼的世界让我感到很高兴，于是我找到门走了进去。

令人称奇的是，在这里，我青春的芳香扑面而来，是我孩童与少年时代的氛围，像传奇，同时又十分熟谙，叫我不寒而栗，当年的血在我心中流淌。我刚才所做所想以及曾经的身份在我身后隐没了，我又年轻了。一小时前，眨眼前我还以为对什么是爱情、什么是愿望、什么是渴念知道得很清楚呢，可这是一个老年男子的爱情与渴念。现在我又年轻了，内心所感觉到的，变成了这种炽热流动的激情，这种沁人心脾的渴望，这种如三月里的暖风融化万物的狂热是年轻的、新鲜的、真实的。噢，遗忘了的激情又怎样燃烧起来了呀！当年的声音又响起，是多么高涨，多么深沉呀！它在血液中怎样跳动、怎样活跃呀！它在灵魂中怎样呐喊、怎样高歌呀！我是个男孩，十五六岁，脑子里满是拉丁语和希腊语，还有美丽的诗句，思考的全都是追求与志向，想象的全都是艺术家的梦幻，可要比这些燃烧的激情深刻得多、强烈得多、可怕得多的是爱情火焰，它在我心中燃烧闪耀，是性饥渴及对肉欲强烈的预感。

我故乡小城边上有许多岩石山，我站在一座小山上，那里有股和煦春风和紫罗兰初放的味道，从小城流出的河波光闪闪，我祖屋的窗户也亮丽闪烁，一切看上去、听起来、闻上去都是这么强烈饱满，这么新鲜，这么充满创造力的陶醉，放出的光是这样的色彩浓郁，春风吹得是如此超凡入化，就像我在青春初始最丰满、最具诗意时曾看到的世界一样。我站在小山上，风吹拂着我的长发；迷失在梦幻般的爱情渴望中的我用搜寻的手从刚泛绿的灌木丛上折下一个新嫩的、含苞欲放的叶芽，把它举到面前闻（刚闻到这种味道我又十分清楚地想起从前的一切），然后用还从没吻过姑娘的嘴唇叼住这个绿色小东西，开始咀嚼起来。它味道酸涩、香苦，闻到它我忽然十分清楚地知道我正经历着什么，一切都还在。我又经历了青春尾巴的某个时刻，那是初春的一个星期天下午，那天我在独自一人散步时碰到罗莎·克赖斯勒，不好意思地向她问候，因为我如痴如醉地爱上了她。

当时美少女一个人若有所思地往山上走来，还没看见我，我既胆怯又满怀期待地向她望去，看到了她的头发，头发虽扎成了粗辫子，可脸颊两边还有一缕缕散发在风中飘舞飞扬。我看到这个姑娘很美，这种佳丽我有生以来第一次看到，看到微风吹动着她柔软的秀发，梦境般地美轮美奂，她薄薄的蓝色连衣裙从富有活力的四肢垂下，美得勾起人的欲望。春天那令人不安而又甜蜜的欢乐与恐惧，用嚼碎的叶芽苦香味道浸透了我全身，同样，在我看到姑娘时，对爱情、对女人的全部无尽的想象萦绕于心，萦绕于心的还有令人心旌摇曳的预感，预感到会有众多的可能性和承诺，会有莫名的狂喜、难以想象的困惑、害怕与痛苦、最真挚的拯救与罄竹难书的罪恶。啊，春天的苦涩味道怎样火辣辣地灼我的舌头呀！啊，她红红的脸颊上挂着散发，舞动的春风是怎样吹拂她这秀发的呀！这时她走近了我，抬头看了看，认出了我，有片刻羞答答的，目光移开。这时我脱下坚信礼帽跟她打招呼，罗莎马上镇静下来，微微一笑，有点像贵妇人一样回应我的问候，昂起头，缓缓地、自信地、不屑一顾地继续前行，我向她背影送去的千万个爱情祝福、恳求与敬意将她紧紧裹住了。

事情发生在三十五年前的一个星期天，当时的一切情景此刻又都重现：山丘与城市，三月的春风与花蕾的芳香，罗莎与她的棕色头发，膨胀的渴望与甜美而令人窒息的恐惧，一切如故。我觉得一生中再也不会像当时爱罗莎那样爱人了，不过这次重演我以不同以往的方式迎接她。我看到她认出我时脸上泛起红晕，看到她想掩盖自己的羞涩，我马上知道她喜欢我，这次相遇对她的意义和对我的意义相同。这次我没再脱帽，也没庄重地站在那儿等她过去，而是不顾害怕与顾虑做了心血来潮时做的事儿，我喊道："罗莎！谢天谢地你来了，你这个美丽漂亮的姑娘。我多么爱你呀。"也许此刻说这话不是最风趣，可这里不需要什么风趣，有这话足够了。罗莎脸色不像贵妇人了，她没继续走，而是停下不动，看着我，脸比先前更红了，她说："你好，哈里，你真的喜欢我吗？"说话时她健硕的脸上那棕色眼睛亮闪闪的。我感到：我整个以往的生活与爱情都是错的、混乱的，是充满愚蠢和不幸的，从那个星期天我放走罗莎的瞬间起就这样。而现在我弥补了错误，一切都变了，一切都变好了。

我们彼此握了手，然后手拉手慢慢前行，幸福感难以表达，很尴尬，不知道说什么、做什么，由于尴尬开始疾步小跑，直到我们喘不过气来并不得不停下，可我们的手并没松开。我们俩还是在童年时代，不太懂得彼此如何交往，我们在那个星期天连初吻都没有，可我们快乐无比。我们站在那儿喘着粗气，旋即坐到草地里，我抚摩她的手，她用另一只手不好意思地抚摸我的头发，我们旋又起身，试着比比谁的个子高，其实我高那么一个手指头，可我不承认，而是断定我们一般高，还断定亲爱的上帝让我们找到彼此，我们以后会结婚的。这时罗莎说，她闻到了紫罗兰的香味，我们便跪在春天的矮草里，寻找并找到一些短梗子的紫罗兰，彼此互赠。天变凉了，阳光已斜照岩石，这时罗莎说她得回去了，我们俩都很伤心，因为我不能陪她，可现在我们彼此有了秘密，这是我们拥有的最美好的经历。我仍站在岩石山上，闻着罗莎的紫罗兰，躺到悬崖边的地上，脸朝着深渊往下看城市，等着，一直等到她甜美娇小的身体在那深深的下方出现，走过喷泉和小桥。现在我知道她已到了她父亲的家，在家里她穿过各个房间，我在这上边躺着，离她遥远，可有一根纽带从我这儿延伸到她那儿，有一条大河从我这儿流向她那里，有个秘密正朝她那儿飘去。

我们又见面了，在一些地点约会：岩石山上，花园篱笆旁，整个春天都在约会，当丁香花盛开时，我们有了腼腆的初吻。我们小孩子彼此能给予的东西是很少的，我们的吻还不够炽热，吻得也不多，她耳边松散的鬈发我只敢轻轻抚摸，可我们在爱情与欢乐方面能做的一切都是属于我们的，通过每次羞怯的触摸，通过每句稚嫩的情话，通过每次不安的彼此等待，我们学到了新的幸福，我们在爱情梯子上又上了一级小小的台阶。

就这样从罗莎和紫罗兰开始，我又把我的整个爱情生活体验了一遍，这次顺利一些。罗莎消失了，伊尔姆加德出现了，太阳更加炽热，星星更加令人陶醉，可不管是罗莎还是伊尔姆加德都没成为我的人，我不得不一级台阶一级台阶往上攀登，要经历许多东西，学习许多东西，还有伊尔姆加德和安娜也得失去。我又爱上了青年时曾爱过的每一个姑娘，我可以给每个姑娘以爱，给每个姑娘一点东西，也接受每个姑娘的馈赠。愿望、梦想和可能性，这些曾经只是虚幻的东西，现在成为现实，经历了一遍。啊，你们所有这些美丽的花呀，伊达、罗勒，所有我曾爱过一个夏天、一个月或一天的人！

我明白现在我就是那个热情似火的帅小伙，就是我刚才看到的如此急切地往爱情之门奔跑的那个人，明白我现在正尽情享受我的这一部分，它只占我本性与生活的十分之一、千分之一，我让它继续发展，不受"我"的其他棋子的困扰，不被思想家干扰，不受荒原狼折磨，不被诗人、幻想家和道德家贬低。是啊，现在我除了恋人什么都不是，除了爱情的幸福与痛苦外不呼吸其他的幸福与痛苦。伊尔姆加德已教会我跳舞，伊达教会我亲吻，最漂亮的埃玛是第一个让我吻她褐色乳房、给我喝情欲美酒的姑娘，那是在秋天的傍晚，在摇曳的榆树叶下。

许多事情我在帕伯罗的小剧场里体验了，可能用话语表述的不到千分之一。所有我曾爱过的姑娘都是我的，每个人都给我只有她自己能给予的东西，我也给每个人只有从我这儿可以得到的东西。我得以品尝许多爱情、许多幸福和许多狂喜，也尝到了许多迷惘与痛苦，我一生中所有错过的爱情在这个梦幻时刻如同在我花园里盛开着的花朵，令人陶醉，这是些纯洁而温柔的花、耀眼而燃烧的花，又是很快黯然失色且快速凋谢的花，这是闪光的狂喜，热忱的幻想，强烈的忧伤，可怖的死亡，喜庆的再生。我找到的女人有些只能以快速、疾风暴雨的方式赢得，另一些女人，对其长久而认真地追求则是一种幸福；我生命的每个幽暗的角落又显露出来，在这些个角落里，性的声音曾经，哪怕只有一分钟，呼唤着我，女人的目光燃起我的激情，姑娘泛着光泽的白皙肌肤吸引了我，一切错过的事情都已弥补。每个女人都是我的，每个女人都以她的方式占有我。浅亚麻色头发下有着奇特的深褐色眼睛的女人在这里，我曾在一列快车上的过道窗户旁，在她身边站了一刻钟，后来她多次出现在我梦中——她不说话，可她教会我意想不到的、令人惊慌的、极端的做爱技巧。一个来自马赛港的中国女子肌肤光滑，人很安静，呆滞地微笑着，她有着光滑漆黑的头发和迷惘的眼神，连她也知道闻所未闻的事情。每个女人都有秘密，都发出她泥土的芳香，以她的方式亲吻和微笑，以其特有的方式羞涩，以其特有的方式肆无忌惮。她们来来去去，河水把她们冲到我这儿，把我冲到她们那儿，又把我从她们那儿冲走，这是在性欲大河中游泳，游戏般地、天真地戏水，充满刺激，充满危险，充满惊奇。我惊讶的是我的生活，我荒原狼表面如此贫瘠与无情的生活有这么多的热恋，这么多的机遇，这么多的诱惑。我几乎错过、躲避了所有这一切，跌跌撞撞地离开了它们，以最快速度忘记了它们——但它们都在这里保存着，完整无缺，有几百个。现在我看到了它们，醉于其中，听它们的调遣，陷入它们泛着玫瑰色的昏暗阴间。帕伯罗曾诱惑过我，这个诱惑现在又来了，还有其他、以前的诱惑，那时我没完全明白这诱惑是怎么回事，就是三人或四人一起做的极妙的游戏，他们笑着接纳我加入他们的圈子。许多事情发生了，玩了许多游戏，难以言表。

诱惑、恶习与纠缠汇流成河，无穷无尽，我从河中再次冒出，静静地，沉默着，已准备妥当，满腹经纶，已长见识，经验极丰富，对赫尔米娜来说我成熟了。作为我上千个形态的神话中的最后一个棋子，作为无穷无尽系列中最后的名字，她出现了，赫尔米娜，与此同时我又清醒了，结束了爱情童话，因为不想在这里的一面魔镜的幽暗中与她相遇。不仅是我棋盘中的那个棋子属于她，而且是整个哈里属于她。啊，我要把我的棋子游戏改造一番，让一切都与她有关并走向圆满。

河水把我冲到陆地，我又站在剧场静悄悄的包厢过道。该做什么呢？我掏兜里的小棋子，可这个冲动随即消退了。这个由门、文字与魔镜组成的无穷尽的世界包围着我。我情不自禁地读起最近一处的文字，打了个寒战：

如何通过爱情来谋杀

一个回忆的画面很快在我脑中闪过，只是瞬间的事儿：赫尔米娜坐在一家饭店的桌旁，从某一刻开始不动酒菜了，光忙着深谈，她跟我说话时眼神非常严肃，说之所以要让我爱上她，是为了让我亲手杀了她。恐惧与黑暗的一股汹涌的巨浪淹没了我的心，突然一切再次出现在我面前，我突然在内心最深处又感到了困境与命数。我绝望地掏口袋，想掏出棋子，变点魔术，重整我棋盘的秩序。可棋子没了，我从兜里掏出的不是棋子，而是一把刀。我吓得要死，跑过走廊，跑过各个门口，忽然面对着巨大的镜子，往里照了照。镜子里是一匹漂亮的大狼，和我一样高，它静静地站着，用不安的眼睛害羞地看着。它眼神飘忽不定，向我眨眨眼，笑了笑，有那么片刻嘴唇都咧开了，露出了血红的舌头。

帕伯罗在哪儿？赫尔米娜在哪儿？那个畅谈人格构造的聪明家伙在哪儿？

我又照了照镜子。我疯了。高大的玻璃镜子里没有狼在嘴里转动舌头。镜中人是我，哈里在里边，灰白的脸，被所有的游戏遗弃，因所有的恶习而疲惫，脸色十分苍白，可不管怎么说是个人，不管怎么说是个可以与之谈谈的人。

"哈里，"我说，"你在做什么？"

"没做什么，"镜中的他说，"我只是在等。我在等死神。"

"死神在哪儿呢？"我问。

"它来了。"另外一个人说。我听到从剧院内的空房间里传来音乐声，美妙而可怕的音乐，是《唐璜》[1]中的一段，它随着石像[2]的出场而响起。冰冷的音乐声可怕地穿过阴森恐怖的房子，它来自彼岸，来自不朽之人。

"莫扎特！"我想。这音乐一下子唤起我内心生活中我最喜爱、最崇高的画面。

这时我身后响起笑声，洪亮而冰冷，笑声来自受过难的彼岸，是神的幽默的彼岸，是人闻所未闻的彼岸。我转过身，被这笑声冻僵了，但我愉悦着，这时莫扎特走了

1　莫扎特的歌剧。

2　《唐璜》一剧中的人物。

过来，他笑着从我身边走过，沉着地走向一扇包厢门，打开它，走了进去。我好奇地跟着他——这个我青春时期的神，我终生喜爱与敬仰的目标。音乐继续响着。莫扎特站在包厢栏杆旁，剧场里什么都看不见了，昏暗充满了无边无际的宇宙。

"您瞧，"莫扎特说，"没萨克斯也行。虽然我绝对不想诋毁这种很棒的乐器。"

"我们在哪儿呢？"我问。

"我们是在《唐·乔凡尼》[1]的最后一幕，雷波雷诺[2]已跪下。精彩的场面，音乐也还能听，还凑合。虽然它还包含着形形色色很人性的东西，可毕竟已听出来是彼岸，你听那笑声——不是吗？"

"这是您写的最后一支伟大的乐曲，"我像中学老师似的郑重地说道，"那是一定的。后来还来了舒伯特，还来了胡戈·沃尔夫[3]，可怜、精彩的肖邦我也不能忘记。您皱眉头了，音乐老师——噢，对了，贝多芬也在，他也很棒。这一切不管有多美，都包含着残缺与消解，自打

---

1 《唐·乔凡尼》即《唐璜》的意大利语写法。
2 《唐·乔凡尼》一剧中的人物。
3 胡戈·沃尔夫（1860—1903），德国浪漫派后期作曲家。

《唐·乔凡尼》以来，像这样完美的作品就再没人创作出来过。"

"您别费劲了。"莫扎特笑了，极具嘲讽意味。"您自己大概是音乐人吧？嗯，我放弃这一职业了，我休息了。有时只为开心还看看演出。"

他举起手，像在指挥。月亮或一颗惨淡的星星在什么地方升起，我从栏杆向深不可测的宇宙下面望去，云雾在宇宙中飘动，山峦昏暗，还有海岸，我们下边一片沙漠似的平原延伸着，遍布全世界。在这片平原上我们看见一个看上去德高望重、留着长胡子的老先生，他带着悲哀的神色率领一支十分庞大的队伍，队伍由几万身穿黑衣的男子组成。他看上去悲伤无望。莫扎特说：

"您看，这是勃拉姆斯。他追求的是拯救，但这还要些时间。"

我了解到这几千号黑衣人都是演奏家，他们演奏的声部和音符——根据神的裁决——在神的总谱中完全是多余的。

"配乐太浓厚，太滥用素材。"莫扎特点着头说。

紧接着，我们看到一支同样多人的队伍，理查德·瓦格纳走在最前面，我们感到数目可观的几千个人在拉扯他、吮吸他；我们看到他忍耐着，也迈着疲惫的步伐蹒跚而行。

"在我年轻的时候，"我伤心地说，"这两个音乐家被认为是绝对的对立面。"

莫扎特笑了。

"是的，一直这样。从远处看，这样的对立面往往彼此越来越像。此外，浓重的配乐既不是瓦格纳也不是勃拉姆斯个人的错误，而是他们时代的错误。"

"您说什么？他们要为时代的错误受这么重的处罚？"我叫起来以示控诉。

"那当然。这是按章办事。只有在他们还了他们时代的债以后，才能看出个人的东西还剩多少，值不值得对此清算。"

"可毕竟不能怪他们俩！"

"当然没怪。亚当吃了苹果也不能怪他们，可他们还得受罚。"

"这真够可怕的。"

"的确，生活总是可怕的，这不能怪我们，但我们还得为此承担责任。人生下来就是有罪的。如果您连这个都不知道，那您上过的宗教课一定很奇怪。"

我很不舒服。我看到了我自己，一个疲惫至极的朝圣者，穿过彼岸的沙漠，身背许多我写的废书，带着所有的文章，所有的副刊，后面跟着一大群不得不为它们排字的工人，还有一大群不得不啃这一切的读者。天哪！此外亚当和苹果，还有其他全部的原罪都还在。就是说要为这一切赎罪，没完没了的炼狱，然后才会问这一切的背后是否还有点个人的东西，有点自己的东西存在，还是我所有的行为及其后果只是海洋中空洞的泡沫，只是事件长河中无意义的游戏。

莫扎特看到我垂头丧气时开始大笑，笑得在空中翻筋斗，用腿弹出颤音，同时还责骂我："嘿，老弟，舌头咬你了吗？肺折磨你了吗？想到你的读者、无赖、可怜的饭桶，想到你的排字工、异教徒、该死的煽动者、磨军刀师傅了吗？这可真可笑，你这条龙，让人大笑，让人闹翻，让人屁滚尿流！噢，你这个虔诚的宝贝儿，带着你的印刷油墨，带着你的精神痛苦，我捐赠你一根蜡烛，只为开开玩笑。你胡扯乱扯，噼里啪啦，引起轰动，胡闹一气，摇摇尾巴，犹豫时间不长。再见，见鬼去吧你，你写作，你胡说八道，该打该揍，你写的一切都是天下文章一大抄。"

而这对我来说太过分了，恼怒让我没时间总在那里忧伤。我抓住莫扎特的辫子，他逃走了，辫子越来越长，像彗星尾巴，我吊在尾巴尖上，被卷起来，被带着横穿宇宙。真见鬼，这宇宙真叫冷啊！这些不朽之人承受着这么稀薄的冰冷空气。可它使人愉悦，这冰冷的空气，在还没失去知觉前，我在短暂的瞬间能感受到这一点。我感到一种凛冽刺骨的、钢一般发亮的、冰冷的愉悦，感到有兴趣笑，能洪亮地、放肆地、超凡入圣地笑，就像莫扎特笑的那样。可这时没了呼吸与意识。

我又镇静下来，迷惘而疲惫，走廊的白色灯光映在光亮的地板上。我没在不朽之人那里，还没有。我还一直在谜团般的、痛苦的、荒原狼的、令人纠结的此岸。这不是个好地方，不是可以忍受的逗留之地。得结束它。

墙上大镜子里的哈里与我面对面。他看上去不好，和他拜访教授、去了"黑鹰"舞会后那个夜晚没什么两样。可这是很早以前的事儿了，有几年、几百年了；哈里老了，他学会了跳舞，到过魔幻剧院，听过莫扎特笑，他不再害怕舞蹈、女人和刀子了。哪怕是庸才走过几百年后也成熟了。我长时间看着镜中的哈里：我还能认识他，他仍旧和十五岁的哈里有点像，那个哈里在三月的一个星期天在岩石山中遇见了罗莎，在她面前脱下坚信礼帽。从那时起到现在他毕竟老了几百岁，搞了音乐与哲学，厌倦了，在钢盔酒家灌下了阿尔萨斯酒，和平庸的学者讨论过克里希纳神，爱过埃里卡和玛丽亚，成了赫尔米娜的朋友，向汽车开过枪，和肌肤光滑的中国女人睡过觉，找过歌德与莫扎特，把时间与虚假现实的网撕破了好些个洞，他还困在网中。就算他丢失了他可爱的棋子，可毕竟还有把不错的刀子在兜里。干吧，老哈里，疲惫的老家伙！

呸，生活的味道好苦呀！我对镜中的哈里吐唾沫，用脚踢他，把他踢得稀巴烂。我慢慢走过有回音的过道，仔细观察每扇门，它们曾让人产生许多美好的期待：哪扇门现在都没有文字了。魔幻剧院的上百扇门我都走过。我今天不是参加假面舞会了吗？从那时起一百年过去了。很快的，没有多少年头了。还有点事儿要做。赫尔米娜还在等我。会是很特别的婚礼。我在浑浊的波浪中游走，被浑浊吸走，奴隶，荒原狼。呸，见鬼！

在最后一扇门前我停住脚步。浑浊的波浪把我吸到那里。噢，罗莎，噢，远去的青春，噢，歌德和莫扎特！

我打开门。我在门后看到的是一个简洁而漂亮的画面。在小地毯上我看到两个赤裸的人躺着，是美丽的赫尔米娜与俊朗的帕伯罗，他们挨在一起睡得很沉，做爱游戏后已经是精疲力竭，做爱游戏好像没个够，可这么快就让人厌了。漂亮的，漂亮的人，美妙的画面，妙不可言的身躯。赫尔米娜左侧乳房下有个新的圆形印迹，颜色很深，是帕伯罗在做爱时用漂亮闪光的牙齿咬的。我照着印迹就是一刀，整个刀口都进去了。血流过赫尔米娜白皙、细嫩的皮肤。如果一切不是这样，如果发生别的事儿，我就吻干净这血。我没这么做；我只是看着血怎么流，看到她的眼睛睁开了一会儿，她痛苦万分，大为震惊。"她为什么震惊？"我想。然后我想到得把她眼睛合上。可它们自动闭上了。她只稍微侧了侧身，我看到从她胳肢窝到乳房有一个细微的浅影在动，它让我想起了点什么。忘记了！然后她一动不动地躺在那儿。

我长久地看着他们。我终于猛然醒来，吓得跳起，想离开。这时我看到帕伯罗在伸展四肢，看到他眼睛睁开，活动四肢，看到他向美丽的死者弯下腰，微微一笑。这家伙永远不会严肃，我想，一切都让他发笑。帕伯罗小心地翻起地毯一角，把赫尔米娜盖上，盖到乳房，这样伤口就看不见了，然后蹑手蹑脚地走出包厢。他去哪儿呢？他们所有人为什么都离我而去？我待在那儿，独自和我爱着并妒忌着的这个半遮掩的死者在一起。从她苍白的额头垂下男孩的鬈发，嘴巴在毫无血色的脸上泛着红光，半张着，她的头发微微散发着香气，让半个娇小、丰满的耳朵露了出来。

她的愿望满足了。还没等她完全成为我的情人，我已把我的情人杀了。我做了不可思议的事情，我跪了下来，呆呆凝视着，不知道这个行为意味着什么，连做得是好是坏，是否正确都不知道。聪明的棋手会对我的行为说什么呢？帕伯罗会说什么呢？我什么都不知道，我无法思考。她淡然无光的脸上那涂了口红的嘴唇泛起光泽，越发红润。我的整个生活就是这样，我的点滴幸福与爱情就像这张僵硬的嘴：一点红，画在死人脸上。

从无生命的脸上，从无生命的白皙玉肩和无生命的白皙胳膊上散发出一股寒气，缓缓溢出，一种冬季般的单调与孤独，一种慢慢，慢慢加剧的寒冷，寒冷中我的手与嘴唇开始变僵硬。我把太阳熄灭了吗？我把所有生命的心杀死了吗？宇宙空间极端的寒冷降临了吗？

我毛骨悚然地盯着她变成石头的额头，盯着僵硬的鬈发，盯着她外耳苍白冰凉的闪光。从这些地方散发出极端的寒冷，可这寒冷还是很美：它发出了声音，回声很奇妙，它是音乐！

在以往的岁月里，我难道不曾感受过这种同时也有点像幸福的毛骨悚然吗？我难道不曾听到过这种音乐吗？听到过，在莫扎特、在不朽之人那里。

我想起曾在以往的岁月里，在什么地方发现的诗句：

> 与此相反我们相逢，
> 在太空满是闪烁星星的冰霜里，
> 不知岁月为何物，
> 非男非女，非老非少……
> 我们永恒的存在清冷无变，
> 我们永恒的笑声清冷如星光灿烂……

这时包厢门开了，莫扎特走了进来，第二眼我才认出他来，莫扎特没扎辫子，没穿短裤和搭袢鞋，穿着很时髦。他紧挨我坐下，我几乎碰到了他。我挡住他，以免从赫尔米娜乳房流到地板上的血弄脏他。他坐了下来，仔细研究四下放着的一些小装置和乐器，做这事时煞有介事，这儿动一下，那儿拧一点，我钦佩地看着他灵活敏捷的手指，真想看一次这些手指弹钢琴。我若有所思地看着他，也许不是若有所思，而是精神恍惚地、沉醉地看他那漂亮

265

而灵巧的手，因在他身边而感到温暖，也有点害怕。至于他究竟搞什么名堂，他在那儿鼓捣什么，我根本没注意。

可他在那儿组装、调试好的是台收音机，现在他打开了喇叭说道："听到慕尼黑声音了，亨德尔的《F大调大协奏曲》。"

我很吃惊，惊讶的程度难以表述，恶魔般的铁皮喇叭的确很快吐出了支气管黏液与嚼碎的口香糖的混合物，唱机拥有者和收音机听众一致称这玩艺儿是音乐——在浑浊的黏液与持续的嘈杂声的后面，的的确确能听出这非凡音乐的典雅结构、君王般庄严的构造、冷静宽宏的气息和饱满宽宏的弦乐之声，就像厚厚的污垢层的后面是一幅精美的古肖像画一样。

"天哪，"我吃惊地叫了起来，"您在做什么，莫扎特？您真的要把这鬼东西强加于您和我吗？这个可怕的装置是我们时代的胜利，是我们时代在对艺术的歼灭战中最后获胜的武器，您真的想让它到我们生活中胡来？非要这样吗，莫扎特？"

噢，这个可怕的男人笑成什么样呀，他笑得是多么冷酷啊！他笑得像鬼，笑得无声，却可用笑来捣毁一切！他十分开心地看着我受苦，鼓捣该死的螺丝和铁皮喇叭。他笑着让走调的、失去灵魂的、中毒的音乐继续往太空渗漏，他笑着回答我说：

"请别这么激动，邻居先生！另外您注意那段渐缓的乐曲了吗？灵感，嗯？是的，您，您这个没耐心的人，把这段乐曲的思想听进去——您听到低音部了吗？它像神一样行进——您让老亨德尔这个灵感深入您那不安的心并让它平静吧！您听一听吧，您这个小男子，别有激情和嘲讽，这个可笑的装置确实有层绝对愚蠢的隔膜，您听一听，让隔膜背后这支神曲遥远的身影走过去吧！您仔细听，在此过程中是可以学点东西的。注意，这个疯狂的共鸣管做的事儿从表面看是世上最愚蠢、最没用、最遭禁的，它不加选择地、愚蠢地、粗鲁地把某个地方演奏的乐曲抛到一个陌生的、不属于它的空间中，还蹩脚地让乐曲走了样，——尽管如此，它不能摧毁这乐曲的原始精神，反而只能证明在乐曲上它的技术无能，证明它的热闹劲儿空洞无物！您好好听着，小男子，您急需这个！好了，竖起耳朵！对了。您听到的不仅仅是被收音机歪曲了的亨德尔——不过连这个最可怕的表现形式也抹杀不了他的非凡——，而且您，最尊敬的先生，同时也能听到和看到，所有生命的最佳比喻。如果您听听收音机，那么您听到和看到的是理念与表象、永恒与时间、神性与人性之间的原始斗争。我亲爱的，收音机把世上最美妙的音乐一股脑儿地传到最不合适的空间里达十分钟之久，传进市民的客厅里、阁楼间，传至闲聊的、胡吃的、打哈欠的、睡着的听众中，剥夺了这音乐的感性美，败坏了它，抓伤了它，用黏液粘住它，可却不能彻底扼杀其精神——生活像收音机一样，所谓的现实也就是大把地玩儿世上美好的画面游戏，听完亨德尔后再听一个报告，是关于中型工业企业如何掩盖真实收支平衡表的技巧的，它把迷人的交响乐声变成令人恶心的声音黏液，到处将其技术、忙碌、肮脏的排泄物与虚荣心推到理念与现实之间，推到交响乐与耳朵之间。整个生活就是这样的，孩子，我们只能随它去，如果我们不是笨驴，就对此一笑了之。您这种人完全没有权利对收音机或生活进行批评。您最好先学会倾听！学学认真对待值得认真对待的事儿，对其他事儿进行嘲笑吧！或许您自己做得更好、更高尚、更聪明、格调更高吗？不是的，哈里先生，您做得没好到哪里去。您把您的生活变成了一部可怕的病史，把您的天赋变成了不幸。我看您只知道把刀子捅进这么漂亮、这么迷人、这么年轻的女人的身体，把她毁了，不懂得用她做点别的！您难道认为这样做就对吗？"

"对？噢，不！"我绝望地喊道。"我的天哪，一切都错了，极为愚蠢、糟糕！我是畜生，莫扎特，一头愚蠢可恶的畜生，是病态的、堕落的，您说的百分之百正确。——可说到这个姑娘：这是她自己要的，我只是满足了她自己的愿望而已。"

莫扎特不出声地笑了，可还是很客气地关了收音机。

我刚才还真心相信我自己的辩解呢，忽然这个辩解我自己听起来都觉得相当愚蠢。以前赫尔米娜——我忽然想起——说起时间与永恒时，我马上乐意把她的思想看成是自己思想的镜像。可让我杀死她的想法完全是赫尔米娜自己的念头与愿望，一点都没受我的影响，她有这个想法我认为是理所当然的。可当时我为什么接受这么可怕、这么令人诧异的想法，不但接受并相信，而且事先还猜到了呢？也许是因为这是我自己的想法？为什么我偏偏在看到她赤身躺在另外一个男人怀里时杀了她？莫扎特无声的笑听上去无所不知，满是嘲讽味道。

"哈里，"他说，"您是个爱打趣的人。这个漂亮姑娘除了想挨您一刀，真的没其他愿望了吗？您用这个糊弄别人吧！嗯，至少您这刀捅得不错，可怜的孩子彻底死了。

也许现在是您明白向这位女士献殷勤造成的后果的时候了。还是您想逃避这个后果？"

"不是，"我喊道，"难道您不明白吗？我难道要逃避后果？！我只想赎罪赎罪再赎罪，被砍头，受到惩罚，被消灭。"

莫扎特嘲讽地看着我，简直让人难以忍受。

"您总是这么慷慨激昂的！可您还会学会幽默的，哈里。幽默始终是绞刑架下的幽默，必要时您就是要在绞刑架下学会它。您准备好了吗？是吗？好，那么您去找检察官，您就忍受一下法官们整个无幽默感的机构吧，忍到清晨时分在监狱被冷冰冰地砍头为止。这么说您准备好喽？"忽然我面前闪出一行字：

> 哈里的处决

我对此点头同意。光秃秃的院子，四周是装有栅栏小窗的墙，一个干净利落地架起的断头台，几十个穿着法衣和男式小礼服的先生，中间站着我，在灰蒙蒙的清晨空气中哆哆嗦嗦，心儿因悲惨的害怕而揪在一起，但我已准备妥当，同意这个判决。我听命地走向前，听命地跪下。检察官摘下帽子，清清嗓子，其他先生也清嗓子。他把一张正式的文件在面前展开，念道：

"先生们，你们面前站着的是哈里·哈勒尔，他因恶意滥用我们的魔幻剧院而受到指控并被认为有罪。哈勒尔把我们漂亮的映象厅与所谓的现实混淆，用映照出的刀捅死了映照出的姑娘，因而侮辱了高雅艺术。不仅如此，他还打算把我们的剧院毫无幽默感地作为自杀机械来使用。所以我们判处哈勒尔永不死亡并吊销其进入我们剧院的许可证十二小时。被告也不能免除被嘲笑一次的处罚。先生们，开始笑：一，二，三！"

数到三时，在场的人悉数纵声大笑，是较高声的哄堂大笑，是可怕的、叫人几乎无法忍受的彼岸的笑。

当我又苏醒过来时，莫扎特像先前一样坐在我身边，他拍着我的肩膀说："您听到对您的判决了。就是说您必须习惯继续听生活的收音机播放的音乐。这对您有好处。您太缺少天赋了，亲爱的傻家伙，可您会逐渐理解对您的要求是什么。您应学会笑，这是对您的要求。您应领会生活的幽默——生活的绞刑架下的幽默。可您自然乐意做世上任何事，就是不乐意做要求您做的事！您乐意捅死姑娘，您乐意庄重地被处决，您肯定也乐意清苦修行一百年，确实乐意吧？"

"噢，乐意，打心眼里乐意。"我在痛苦中叫道。

"那当然！每个愚蠢和毫无幽默感的活动您都喜欢参与，您这个大度的先生，参与所有充满激情的和乏味的活动！可我不要参与，对您整个浪漫的赎罪我一分钱也不给。您想被处决，您想掉脑袋，您这个蛮汉！为这个毫无意义的理想您还会谋杀十次。您想死，您这个胆小鬼，竟不想活。真是活见鬼，可您恰恰该活着！哪怕您受到最重的惩罚都活该。"

"噢，可这是什么样的惩罚呢？"

"比如我们可以让姑娘再活过来，让您娶她。"

"不，这我不乐意。会不幸的。"

"您造成的不幸好像还不够多似的！现在该结束激情游戏与谋杀了。您还是理智点吧！您该活，您该学会笑。您该学会听生活那该死的收音机播放的音乐，该崇拜它背后的精神，该学会嘲笑它里面乱七八糟的内容。没了，再多的东西也不要求您了。"

我轻轻地从咬紧的牙缝中挤出问话："如果我拒绝呢？如果我不给您，莫扎特先生，支配荒原狼、干涉他命运的权力呢？"

"那么，"莫扎特平和地说，"我会建议你再抽一根我这么好的烟。"说着，他从背心的兜里变戏法似的掏出一根烟递给我，这时他突然不再是莫扎特了，而是变成了我的朋友帕伯罗，他用深色的外国人的眼睛热烈地望着我，他跟教我用小棋子下棋的男子像孪生兄弟。

"帕伯罗！"我惊叫起来。"帕伯罗，我们这是在哪儿？"

帕伯罗递给我烟和火。

"我们在，"他笑着说，"在我的魔幻剧院里，如果你想学探戈或想成为将军或和亚历山大大帝聊天的话，下次可以满足你。可我不得不说，哈里，你有点让我失望。你完全控制不住自己了，你打破了我小剧场的幽默，干了蠢事，你用刀捅了人，把我们漂亮的影像世界用现实的污渍弄脏了。你这点做得可不好。但愿你至少是在看到赫尔米娜和我躺在那儿时出于妒忌才这么做的。可惜的是你不懂得和这个棋子打交道——我还以为你棋学得好些了呢。好了，还可以纠正。"

赫尔米娜在他指间很快变小了，成了小棋子，他把她放到刚才从中掏出香烟的背心兜里。

芳香的浓烟很好闻，我觉得疲惫不堪，准备睡上一年。

噢，我明白一切了，明白帕伯罗，明白莫扎特，我听到身后什么地方有他可怕的笑声，知道生活棋的十万个棋子都在我兜里，震惊地猜到其意义何在，乐意再次开始下棋，再次品尝下棋的痛苦，再次为它的荒唐打寒噤，再次地、还要常常穿越我内心的地狱。

我终究会把棋子游戏玩得更好。我终究能学会笑。帕伯罗在等我。莫扎特在等我。

诺贝尔文学奖颁奖词

瑞典学院常务秘书安德斯·奥斯特林

今年的诺贝尔文学奖获得者是一位德裔作家，他广受评论界赞誉，冷静面对公众的喜爱，进行自己的创作。现年六十九岁的赫尔曼·黑塞作品甚丰，包括长篇小说、短篇小说以及诗歌，部分已经译为瑞典语。

与其他德国作家相比，他较早避开了政治压力；第一次世界大战期间，他定居瑞士，并于 1923 年获得瑞士国籍。但不应忽视的是，他的出身与个人关系一直都让他有充分理由认同自己既是瑞士人，也是德国人。在战争中避难于中立国，他因此可以在相对安宁的环境里继续自己重要的文学创作；如今，他与托马斯·曼一样，是现代文学中德国文化遗产的最佳代表。

要理解构成黑塞个性的那些相当令人惊异的元素，就必须知道他的个人背景。在这一点上，黑塞比大多数作家都要突出。他来自一个虔信宗教的施瓦本家庭。他的父亲是一位闻名的教会史学家，母亲则是一位传教士的女儿。她有法国血统，在印度受的教育。理所当然，赫尔曼也将要成为一名牧师，于是他被送到了毛尔布伦修道院的神学院。不过他逃出了神学院，跟一位制表匠做学徒，后来在图宾根和巴塞尔的多家书店工作。

年轻时对所继承的虔敬的反叛——但这种虔敬一直保存在心底——在一次痛苦的内心危机中再次出现；那是1914年，作为一个思想成熟之人，也是公认的地区文学名家，他走上了新的道路，远离了他此前田园牧歌式的路径。简要而言，导致黑塞作品这一深刻变化的有两个因素。

第一个当然是第一次世界大战。战争伊始，他想对激动的同行们发表一些关于和平与思考的意见，在自己的小册子中使用了贝多芬的格言"啊，朋友们，何必老调重弹"[1]，这引发了抗议风暴。他遭到德国新闻界的野蛮攻击，显然对这种经历深感震惊。他认为，这证明了自己长久以来所相信的整个欧洲文明已经患病，正在腐坏。必须是处

1　贝多芬《第九交响曲》第四乐章"欢乐颂"第一句歌词，原文是"O Freunde, nicht diese Töne"。该乐章歌词为席勒所创作的诗歌。

于公认规范之外的东西才能带来救赎，可能是来自东方的启示，也可能是深藏于无政府主义理论——用更高的统一来解决善与恶——之中的核心思想。这时，他极为苦恼，满腹怀疑，便到弗洛伊德的精神分析中去寻找解决之道，急切地身体力行，这在黑塞该时期日益胆壮气盛的作品中留下了永久的痕迹。

这场个人危机在《荒原狼》（1927）这部离奇的小说中得到了极大程度的表现，小说受灵感启发，叙述了人性的分裂，以及一个处在日常生活的社会和道德观念之外的个体内心欲望和理性之间的张力。用这样一则关于一个无家可归、如狼般狩猎、饱受神经衰弱症折磨的男人的寓言，黑塞创作了一部无可匹敌、极具爆发性的作品，它危险甚至可能致命，但同时，在处理主题过程中所融合的嘲讽性的幽默和诗意，又具有解放意义。尽管有着突出的现代问题，但黑塞在这里甚至保存了一种最优秀的德国传统的延续性；这个极度具有影射性的故事最容易让人想起作家 E. T. A. 霍夫曼[1]，《魔鬼的万灵药》的作者。

1　E. T. A. 霍夫曼（E. T. A. Hoffmann，1776—1822），德国作家，常在作品中以讽喻手法揭示人性中带有悲剧性或荒诞的方面，著有长篇小说《魔鬼的万灵药》《公猫摩尔的人生观》等。

黑塞的外祖父是著名印度学家贡德特。因此，甚至在童年时，作家就已经感受到了印度智慧的吸引力。当他成年以后前往所倾慕的国家旅行时，他确实没有解开生命的谜团，但是佛教的影响很快进入他的思想，这种影响绝不限于《悉达多》(1922)；《悉达多》是一个优美的故事，讲述了一位年轻的婆罗门如何在世上找寻生命的意义。

黑塞的创作结合了如此多样的影响，从佛陀和圣方济各到尼采和陀思妥耶夫斯基，以至于人们可能会怀疑，他主要是一位不同哲学的折中实验者。但这种观点大错特错。他的真诚与他的严肃是其创作的基础，即便是在处理最为恣肆的主题时都保持着妥善的控制。

在他最完善的中篇小说中，我们既要直接地也要间接地面对他的个性。他的风格一向令人赞佩，无论是表现叛逆与超凡的狂喜，还是表现冷静的哲学思考，都同样完美。在《回想录》(1937)中，绝望的盗用公款者克莱因——他逃往意大利以求最后的机会——的故事，以及对他已故兄弟汉斯所做的至为冷静的描绘，都是不同方面的创造性的纯熟范例。

在黑塞近期的创作中，小说巨著《玻璃球游戏》(1943)占据着特殊地位。这是一个关于神秘思想秩序的幻想，在英雄气质和苦修风格的水平上与耶稣会士相同，其基础则是运用沉思冥想作为一种治疗方法。小说有一种绝对必要的结构，在这一结构中，"游戏"的概念及其在文明中的作用，与荷兰学者赫伊津哈[1]对"游戏的人"（Homo ludens）所做的精妙研究有着令人称奇的相似性。黑塞满怀壮志。在崩溃时期，保存文化传统是一项意义重大的任务。但是通过把文化转变成仅属于极少数人的狂热追求，并不能让文化永久保持活力。如果有可能把多样化的知识缩减成抽象的公式体系，那我们一方面有证据说文明依赖于有机体系，另一方面则可以说这种高等知识并不能被认为是永久的。它就像玻璃球一样脆弱、容易毁坏；在瓦砾堆中找到这些闪闪发光的玻璃球的孩子不再明白它们意味着什么。这种哲理小说容易遭遇被称为深奥难解的风险，但黑塞用该书格言中几行温和的话为自己做了辩护："……在某些情况下，对于不负责任者而言，不存在之物可能比存在之物更易描述，付诸语言时也可承担更少责任，而在虔敬又谨严的历史学家这里，情况则相反；没有什么比语言更能破坏描述，也没有什么比把那些既不能证

1　赫伊津哈（Johan Huizinga，1872—1945），荷兰历史学家，著有《中世纪的衰落》《伊拉斯谟》等。

实又不能探究其存在之物呈现于人们眼前更为必要，但正因为这个，虔敬又谨严的人们在一定程度上将它们作为存在之物来对待，以便他们有可能向着自己的存在与未来更进一步。"

如果说对黑塞作为一位散文体作家的声誉评价不一，那么他作为一位诗人，其声望是从未遭到任何质疑的。自从里尔克[1]和格奥尔格[2]去世之后，他便是我们时代最为重要的德语诗人。他将细腻纯净的风格与打动人心的情感温度相结合，具有音乐性的形式在我们时代里无人可以超越。他在延续歌德、艾兴多夫[3]和莫里克[4]的传统的同时，以自己独一无二的色彩使这一传统的诗歌魅力焕然一新。他的诗集《夜的慰藉》（1929）以非比寻常的澄澈不仅映照出他激动的内心、他健康和患病的阶段、他严苛的自我审视，也映照出他对生命的投入、他在绘画中感受到的欢愉以及他对自然的崇拜。后来的《新诗集》（1937）则充

---

1 里尔克（Rainer Maria Rilke，1875—1926），奥地利象征主义诗人，著有《图像集》《杜伊诺哀歌》等，诗作注重语言形象与音乐节奏，比喻奇特，想象突兀。

2 格奥尔格（Stefan George，1868—1933），德国诗人，著有《灵魂之年》《第七枚戒指》等，主张"为艺术而艺术"。

3 艾兴多夫（Joseph von Eichendorff，1788—1857），德国诗人、小说家，著有诗歌《破碎的小戒指》《在清凉的土地上》等，诗作多描写自然景色，有民歌特点。

4 莫里克（Eduard Mörike，1804—1875），德国诗人、小说家，著有诗歌《博登湖的牧歌》《九月的早晨》等，诗作自然质朴。

口此多的民族、如此多的语言、如此多样的态度与观念能够并

，这是一件美妙的事情。如果说我对战争、征服和吞并抱有

以调和的恨意与敌意，那我有众多理由这样做，而且还因

，如此多自然成长起来的、高度个体化的、差异极大的人类

明成就，已经沦为这些黑暗力量的受害者。我厌恶这种"宏

的简化者"（grands simplificateurs），我热爱高度的质感，热爱

模仿的技艺和独特性带来的感受。作为对你们满怀谢意的

与同道中人，我要向你们的国家瑞典致意，向她的语言和

致意，向她的悠久而令人自豪的历史致意，向她在塑造和

其独特个性方面的坚持不懈致意。虽然我从未去过瑞典，

从我收到来自瑞典的第一件礼物开始，数十年来，曾有许

好事物从你们的国家来到我身边；这第一件礼物是四十年

一本瑞典书，第一版的《基督传奇》，书中有塞尔玛·拉

[1]的个人献词。在这些年里，我与你们的国家有过珍贵的

来，直到最后，你们以这样一件伟大的礼物让我感到了

请容许我向你们表示深挚的感谢。

（韩继坤　译）

拉格洛夫（1858—1940），瑞典作家，著有《耶路撒冷》《骑鹅旅行记》等，

得诺贝尔文学奖。

溢着暮年的智慧和忧郁的经历，显示出对形象、情绪和旋律的高度敏感性。

在概括性的介绍中，不可能公平地涵盖这位作家诸多处在变化中的特质，正是这些特质令他在我们眼中具有独特的吸引力，也为他赢得了忠实的追随者。他是一位有争议但也自我坦白的诗人，具备德国南部丰富的思想，这一思想在他极为个人化的自由和虔敬的混合中得到了表现。他有着充满激情的反抗倾向，一旦所涉题材对他来说是神圣的，胸中就燃起把梦想家转变成斗士的不灭火焰；如果忽视了这一点，那么人们或许会称他为浪漫主义诗人。黑塞在一篇文章中说，人绝对不能满足于现实，既不应该热爱现实，也不应该膜拜现实，因为这个永远让人失望、卑劣又荒凉的现实是无法改变的，除非证明我们有更为强大的力量，以此来否认它。

授予黑塞此奖并非仅仅是肯定他的盛名，更是向他的诗歌成就致敬；这一成就充分展现了一个奋力斗争的善良之人的形象，他以世所罕见的忠实恪守天职，在一个悲剧性的时代成功地握紧了保卫真正人道主义的武器。

很遗憾，由于健康原因，诗人无法来到斯德哥尔摩。瑞士联邦共和国公使将代替他领奖。

阁下，现在请您接受瑞典学院评出并由国王陛下亲手颁予您的同胞赫尔曼·黑塞的诺贝尔文学奖。

（韩继坤　译）

诺贝尔文学

　　值诸位此次欢乐相聚之时，我要送
意的问候，同时，首先为自己未能亲身前
憾，其次则要向诸位表达谢意。我的健
自 1933 年后，多次病痛已经毁掉了我
复一次在我肩上压上重担，让我永久质
的思想并未折损，我感觉与诸位并无
激励诺贝尔基金会的理念，即思想是
的，不应服务于战争或者毁灭，而应

　　不过，我的理想并非要模糊民族
智上千篇一律。相反，我愿看到在我
上，所有形式和色彩的多样化能够

1　由于黑塞未能出席 1946 年 12 月 10 日在斯德
　　领奖词由瑞典首相亨利·瓦洛通代为宣读。